CW00541446

Là-bas si j'y suis

Duval Moukoueri

Là-bas si j'y suis
Recueil

LE LYS BLEU
ÉDITIONS

© Lys Bleu Éditions – Duval Moukoueri

ISBN : 979-10-377-1335-3

Pour Ghislain Nguimbi, père et meilleur ami.
À Joseph et Dorothée, mes parents, l'Ange et les visiteurs...

« Comment oserai-je me confondre avec ceux pour qui, aujourd'hui déjà, on a des oreilles ? Après demain seulement m'appartiendra. Quelques-uns naissent posthumes »

Nietzche

« Tant que les lions n'auront pas leurs propres historiens, les histoires de chasse continueront de glorifier le chasseur »

Proverbe africain

Avant-propos

Qu'est-ce qui sauvera l'Afrique du sous- développement ? Les discours ou les actes ? Face à une telle question, il est aisé de proposer en réponse les actes, mais il importe de reconnaître que pour un véritable éveil des consciences pour le salut du continent noir, il faut aussi et même d'abord des convictions et des discours, mais des discours qui ne font de cadeau à personne. Si un sincère diagnostic du retard du continent africain révèle deux catégories de responsables, les occidentaux et les africains eux-mêmes, tout sérieux discours d'éveil à raison, d'une part de fustiger le néocolonialisme, la main mise économique ainsi que l'impérialisme politique des uns, et d'autre part, de condamner le manque de patriotisme, la corruption, l'injustice, la médiocrité et par-dessus tout l'inconscience des autres. C'est une formule d'exorcisme, voire une potion amère, qui, si elle est avalée, produira des effets heureux. Mais pour la proposer, il faut, non seulement de l'audace, mais surtout un zèle sincère et une passion authentique pour l'Afrique.

Mère-Afrique

À Léopold Sédar Senghor
À la mémoire de Aimé Césaire et David Diop

Puis-je, Ô Mère
Élevant ma voix en ces heures mémorables
Pour t'exalter
Apaiser ma soif de porter à ton saint nom ce nom nègre –
Afrique –
Dont tes fils ont su depuis toujours t'honorer
Ces honneurs dont je te suis redevable ?

Les Senghor
Dans leur gratitude
Dans leur reconnaissance
Pour beaucoup et peu qu'ils t'ont louée, chantée et continuent
de te vénérer
Aussi longtemps qu'ils ont existé
N'étaient ni las ni satisfait de dire :

Ô Afrique !
Nous tes fils te resterons toujours affectueux et sincères car
grâce à toi

Nous sommes les nègres que nous sommes grâce à ta patience
Notre émancipation n'a point tardé
Grâce à ton courage et à ton dévouement
La place qui socialement nous sied nous est revenue

Toi qui jadis mésestimée entre toutes les mères et dont les
enfants étaient rapetissés
Malmenés à mort
Le continent arriéré
Le white Men's Grave

Ô Mère jamais femmes ne fut stérile
Jamais femme au monde ne souffrit de stérilité comme toi
quoique gigogne

L'opprimé sera libéré
Le serf affranchi
Te disait la voix

L'heure est sonnée
Le moment est venu
De fleurir comme la pensée
De luire comme Vénus
De procréer Abraham
Omniprésent, sois loué !

Aimé Césaire
Jusqu'à l'au-delà
N'ont pas cessé de t'exalter
Ils n'ont pas fini de te glorifier
Car sans toi il ne fut pas ce qu'il fut et nous nous ne sommes
pas ce que nous sommes

Ô bonheur
Mère des mères
Hier seulement je t'ai vue larmoyer sous le joug colonial

Mais aujourd'hui plus que jamais tu souris.

Dolisie

Est-ce toi là-bas, Dolisie ?
Ville inlassable qui attire l'étranger
Et que le touriste cherche à tout prix ?
Tu sembles, prestigieuse, pendue entre terre et ciel splendide
quand sur mer la nuit
Vers toi les yeux tournent
Vers toi auréoles pétillantes qui t'éclairent à sur la piste de la
rivière Loubomo

Est-ce toi là-bas, Dolisie ?
Minuscule mais ivre, étendu au cœur des forêts entre le plateau
et l'onde ?
Je contemple ta douceur
Et t'admire, Désinvolte, lorsqu'en tes cours partout s'anime un
fourmillement bariolé
Par-ci vermeil, par-là azuré, dans sa hauteur propre

Je t'aime, Dolisie
J'aime ta cathédrale monumentale
Tes édifices, tes dômes qui disent au loin ton charme et tes
beaux clochers adorés des cieux
J'aime tes édifices
Qui gardent longtemps te flâneur

16

Est-ce toi là-bas, Dolisie ?
Hospitalier indiscret
Dolisie capitale des pays du grand Niari
Jadis criait Pascal LISSOUBA dans son enfance depuis
Tsinguidi « j'irai à Loubomo ma ville (l'actuelle Dolisie) »
Dolisie des fugitifs d'Albert Dolisie
Perdus dans les buissons ardents ?
Oui, Oui, c'est Dolisie
Le belliqueux d'hier
Le Grand Niari d'aujourd'hui.

Frère noir

Noir mon frère
Cette parole pour toi
La terre où l'on a vu le jour
Est une chose sacrée
Le cordon ombilical qui y est enfoui est symbole d'attachement
mystique
– Le pacte primordial –
Et il est un devoir de lui rester fidèle
De la protéger
Patriotisme n'est pas un vain mot
Le sentiment patriotique est puissant et son inhibition consciente
ou non
Est aussi traumatisante que toute frustration
La patrie est une mère
La plus ancienne de toutes
La terre est vivante
Inimaginable
Et elle réclame toujours son dû
D'affection
De dévouement
De soins.

Lettre à l'ange confus

Toi qui as laissé ton rêve têtu
D'aventure te mener à ce monde,
Derrière le fil de l'horizon,
Laissant le reste de la mappemonde
À sa morne routine, à ses prisons…

Tu viens parfois nous rendre visite et quand tu es là, rien ne va plus.
Tu prends un malin plaisir à disperser le bon ordre, déranger les classements et enchevêtrer les ficelles.

Tu joues aux cartes avec nos feuilles et rangés dans les dossiers en désordre ; tu dis « je t'aide » et quand tu t'en mêles tout s'emmêle.

Tu nous bornes et nous embrouilles dans tes labyrinthes dont nous sortons égarés, perdus davantage de se retrouver sauvés, tant habitués à chercher à chercher que nous continuons après avoir trouvé.

Tu te glisses dans les dates et cires les parquets de nos mémoires avant d'entraîner nos souvenirs dans une valse où tout s'échange, dérape et se dérange.

Tu t'insinues dans les horaires, établis de fausses certitudes et t'en va ricanant sous les appels désespérés des agendas qui crient aux rendez-vous manqués. Tu fausses les calculs, bâillonnés l'orthographe et mélanges les livrets, tu sèmes le chaos et jubiles à la vue du désordre.

Tu renverses les tiroirs et saccages les armoires, inverses les tablars et brouilles les mémoires. Tu changes l'ordre en fouillis, les certitudes en indécision, les « zéros fautes » en « trop d'erreurs » et les « je sais » en « tout » s'emmêle. Puis enchantée tu repars et par ta fuite nous désempare.

Vanité

Homme, où est ta force
Fils de l'homme, et ton importance
Tu es né dans l'iniquité
Et ta vie sur terre n'est que vanité
Dans ta puissance
Dans ta grandeur
Ton souffle de toi la mort réclame en temps voulu
Tu n'existes plus, ton âme est ôtée
Et tu ne peux rien contre sa fureur
Ô homme, quelle est alors ta mémoire
Fils de l'homme, et ton espoir
Lorsque telle une ombre tu passes
Néants ils s'avèrent les biens aussi
Qu'au monde tu amasses
Qui en rien ne te sauvent
Frère africain, reviens donc à la terre mère
Terre mère pour te faire terre.

Jeunesse

Comme le début de tout ce qui vit
La fleur qui éclot dès le point du jour
Splendide, comme la nouvelle lune
Magnifique, vive comme Vénus et l'Est
La graine qui surgit de terre partout
Gaie et embellie par la nature pour attirer
Et que le monde s'élance pour admirer
Tant elle est pleine de vigueur
La jeunesse comme le plus odorant jasmin
Est telle qu'elle enchante
La beauté même de toute existence
L'aurore de l'homme est telle qu'elle attire
Le charme même de sa jouissance
Jeunesse, Aurore, comme on t'admire.

Aux enfants tombés à Soweto

C'était un 16 juin 1976
Où des milliers d'enfants Noirs sont tombés
Tout simplement parce qu'ils revendiquaient leurs droits
Sans pour autant avoir tort
C'était à Soweto
Où la couleur de la peau était encore au centre d'un grand
massacre
Un massacre en réalité qui n'avait pas besoin d'être
Mais qui eut lieu par l'inhumanité de certains êtres
C'était en juillet 1990
Que la plus grande organisation africaine
A décidé de te célébrer
Pour rendre hommage aux victimes du 16 juin 1976 à Soweto
Aujourd'hui encore pour la énième fois
Tu es loué, glorifié et exalté
Et ceci sous le thème
« Le droit à la participation : que les enfants soient vus et
entendus »
Enfant africain
Tu vaux ton pesant d'or
Bien que parfois aux yeux de certains racistes tu as toujours tort
C'est pour cela qu'en réalité tu restes vivant parce que ton histoire
Elle est contemporaine.

Où es-tu Aimé Césaire ?

Où est-il ?
Où est-il ce fameux Césaire
Où est-elle la magie des vers

Quelqu'un pourrait-il m'y conduire maintenant ?
Je dois savoir où vit-il présentement.
Il n'a pas fini d'écrire sa Négritude
Car l'Afrique plonge toujours dans les bras de la servitude

Où est-il ce nègre de Senghor ?
L'Afrique s'entretue toujours pour son or.
Dressez-moi un plan peu importe les manières
J'ai l'habitude de travailler dans des terres minières
J'arrivais à traverser cette rivière
Dressez-moi une carte, tracez-moi un plan
Mes larmes coulent à flots à cause du Diamant
Quelqu'un est-il dans cette salle ?
Je ne vois que le sable

Alors où est-il ce fameux Césaire
Où est-elle la magie des vers ?
Où est-elle cette métropole ?

Pourquoi veut-elle épuiser notre pétrole ?
J'aurai quelques questions à lui poser
À propos de certains pays moins développés
Où est-il ce fameux Césaire ?

Les frères Congo

On les appelait les frères Congo
Car tous deux étaient jumeaux
Et quand à Kinshasa il faisait beau
C'est Brazzaville qui avait chaud
On les appelait les frères Congo
Car c'était le nom du cours d'eau
Qui irriguait de ses grands flots
Les petits les minces et les gros
Il y avait eu Sesse Seko
Lumumba, Marien Ngouabi et tous ses rivaux
Une longue période proche du chaos
Où la famille tombait à l'eau
Mon cher cousin du proche Zaïre
Je te défends de me trahir
Car moi je suis né à Brazza
Et toi tout près à Kinshasa
La haine nous est donc interdite
Et nos guerres seront maudites
Je préfère t'embrasser très fort
Car celui qui aime n'a jamais tort
On nous appelait les frères Congo
Car nous deux étions des jumeaux

Souviens-toi de mes cadeaux
Et je n'oublierai jamais tes mots
Même si on nous traite pour ça d'idiots
Enterrons nos haches et nos marteaux
Et quand tu souffriras de tes maux
Moi je te porterai sur mon dos
Parce que le seul l'unique le vrai idiot
C'est celui qui de son frère veut la peau.

Itinéraire d'un con

Le plus gros problème avec les cons
C'est la limite de leur horizon
Ils pensent qu'en Afrique l'herbe est marron
Et que le Noir ne peut grimper les échelons
Certains quittèrent l'Afrique petits garçons
Grandissant dans la tromperie du côlon
Ils reviennent souvent pour un séjour pas très long
Et ils s'écrient : « pauvre Afrique prisonnière de ses démons »
On les a même convaincus que l'esclave doit une rançon
Comme pour remercier son maître de la longue oppression
L'école de l'autre a fait de leur cerveau un melon
Et du coup, ils ne se rendent pas compte qu'ils sont cons
D'autres rêvent d'un autre nom ou prénom
Et ils sont tout tristes d'être nés Kouni ou Lari
Ils auraient préféré être Flamands ou Wallons
Souhaité que leur village natal soit Lyon
Beaucoup de Noirs qui franchissent le Rubicon
Oublient leurs origines et deviennent des cons
Certains se marient et font des rejetons blonds
Chantent sous l'étreinte du complexe
« Ouest bon, Afrique chiffon »
Mais sache-le donc aujourd'hui pauvre con

Si de l'Afrique tu n'as qu'une sombre opinion
Si pour ta patrie tu n'as aucune vision
Et si du passé tu n'as tiré de leçon
Alors c'est certain : tu es con.

Enfant des guerres

Ce soir le ciel est clair pas un nuage, c'est la pleine lune
Dans les rues, les jardins, les enfants aiment regarder ce tableau
Ils admirent ce magnifique firmament où filent quelques étoiles
Mais pour beaucoup de bambins, ce ne sont pas des étoiles
qu'ils voient
Ce sont des éclats de balles, de bombes qu'ils aperçoivent filer
Petit enfant, quand tu lèves les yeux, prie ton Dieu à ta façon
Dis-lui que tu l'aimes, que tu voudrais voir dans ton ciel les
étoiles
Demande-lui qu'il enlève la haine dans le cœur des hommes
Pour la remplacer par l'amour, la charité et le désir de faire le
bien
Vous enfants perdus, enfants des guerres, bientôt un soleil
brillera pour vous
Vous irez jouer dans un jardin où il n'y a pas de peur ni de
guerre
Vous trouverez la paix dans un monde de lumières et d'amour
Et vous enfants qui vivez dans un pays de paix
N'oubliez pas ceux qui pleurent
Unissez-vous pour offrir un sourire, une prière, une étoile dans
leur ciel
Le monde en sera grandi, vous pourrez danser autour de la terre

Vous tressez une couronne aux mille couleurs parsemée
d'étoiles
Vous effectuerez une farandole sur une mélodie d'amour
Et de blanches colombes viendront, un rameau d'olivier dans le
bec
Vous survoler car les canons se seront tus
Les armes seront rendues et la paix régnera.

Lettre à la république

Si je devais mourir demain
Dites au Congo ma femme
Que je l'aimais comme ma vie
Comme à une ravissante dame
Je voulais me consacrer à lui
Je voulais lui prêter mes souliers
Pour qu'il ne marche pas pieds nus
J'étais prêt à tout lui donner
À offrir tout ce que j'ai reçu
Et si je devais mourir demain
Dites à mon pays natal
Qu'il est le plus beau au monde
Le Congo va-t-il si mal ?
Ou est-ce juste le tonnerre qui gronde ?
Que personne ne lise notre histoire
Nous sommes les seuls à la connaître
Nous seuls détenons le savoir
Ce n'est pas l'étranger notre maître
Je n'étais pas l'Ange Gabriel
Ma vie n'était pas la plus belle
Je ne savais pas tout faire
En fait je ne savais rien faire

J'étais fragile et immature
Oui, c'était là ma nature
Je n'avais peur de personne
Une attitude pas toujours bonne
Mais si je dois mourir demain
Ne lui raconte pas mes défauts
Mais dis-lui qu'en lui je crois
Je n'en ai pas honte, tant s'en faut
Mais il n'a pas besoin de ça
Dans mon pays on positive
On n'est pas là pour déprimer
Dans une rencontre décisive
Ses enfants sauront décider
Et si moi je devais mourir demain
Je ne veux pas être parti en vain

Je n'ai que huit ans

Forcée, contre ma volonté
Tels une marchandise, un bétail de taille
Mon père sans cœur, sans bonté
A décidé me liquider au mariage et sans valable détail
Et pourtant je n'ai que huit ans
Quid alors de mon avenir devant moi en luminosité ?
N'ai-je pas aussi le droit d'atteindre l'université
À l'instar des autres filles de mon âge, de mon temps ?
Et pourtant, fille unique, je suis une innocente prisonnière
Et quand la galère l'inspire, ne se réalise dans sa tête
Rien de logique qui soit de mise

Mon père veut devenir riche car dit-il être en crise financière
Et pourtant je suis forcée à épouser un sexagénaire
Une pratique, un commerce qui ne génère
Que regrets et raccord de remords en record jusqu'à la mort
Une pratique monnaie courante pas seulement que chez les
maures

Ma plume tremble dégoûtée, irritée
Et semble incapable de décrire ces ignominies
De l'être dit humain

Quelle infamie !
Oui une infamie à décourager, à arrêter
Et dire qu'à chaque jour, chaque heure
L'avenir d'une fille fond comme du beurre
Car contre son gré, elle sera privée de la chaleur

Oui, oui…, de la chaleur de sa mère et du bonheur
Et pourtant ma mère, vous et moi sommes témoins
Complices et coupables à la fois
Et pourtant nos autorités dans de somptueux bureaux votent et
revotent
Mais n'appliquent jamais et jamais les textes, les lois
Pendant qu'une enfant en « situation » subit et endosse tel
Atlas
Le lourd fardeau de la dot.

La fumée des vers

La jeunesse africaine a mal compris mon message

Le 11 mai
Il nous est apparu par un soir
Au crépuscule de nos espoirs partis en passoire
À Kingston, des décombres des banlieues et ghettos
Il a fait émerger et imposer le reggae en véto

Un vrai guide averti, en safari du rastafari
Mais toujours assoiffé de satisfecit
C'est ainsi qu'en Messie, il a accompli
L'ultime mission, la prophétie

Un maître aux enseignements universels et universitaires
Un messager éclaireur pour tous, pour un univers, six terres
Défenseur et rassembleur des peuples opprimés de la terre
Un modèle panafricaniste à suivre, même en mode survie, sans
commentaire

Il est une expression de cent expressions en verve
Une poésie qui livre des vers ivres mais réglés
Une alchimie où se libèrent des cordes en élixir : le verbe
Une voix des profondeurs divines : le reggae

J'ai dit le mouvement où l'être et la nature vivent une harmonie
sans vinaigre
Une religion qui prône et signifie l'être dans sa vie fière, une
vie nègre
Un monde où Hailé Sélassié 1er, le nouveau messie
Est vénéré chaque jour en mille et un mercis

Le rastafarisme, une harmonie où des éléments du
protestantisme
Mysticisme et panafricanisme se mêlent
Pour la plus belle des couleurs en cette religion de bonne
semelle
Nourries aux lévitiques, des têtes gourmandes s'empiffrent de
cheveux longs
Une Famille de familles réunies d'horizons divers du monde

Mais aujourd'hui, ma plume tremble, écœurée et dégoûtée
Et semble un cas palpable de décrire avec précision
Ce monde où divers jeux naissent
Durant cette journée du 11 mai où la jeunesse
Se livre à des pratiques, des aberrations déroutées

Et j'ai vu des jeunes, devenus des bouteilles de gaz
Absorbant des barils de fumée et remplir leur « thoracique
case »
Sur une piste où « l'herbe drogue fumée » déconne, décolle et
plane
Des vies, bientôt sans secours, tomberont sans doute, en panne

Oui j'ai vu des bouteilles d'alcool se bagarrer après une dispute
Soirée où Ego, ivre, affronte Conscience juste pour Une…
dix… putes

Et puis j'ai vu le sexe sodomiser des consciences
Où des esprits excités, se branlent et éjaculent dans l'ignorance

Oui, j'ai également vu Bob Marley pleurer d'un cœur de bouts
scellés
De ce que son message, son combat légendaire, ainsi mal
interprété, déboussolé
Par une jeunesse où des corps excités aux hormones chahutées
S'immolent, se dépècent, et en lambeaux se dispersent, car
charcuteries

Mais j'ai rêvé vivre un 11 mai sans tabac
Une journée où aucune dépravation ou débauche ne t'abat
Oui j'ai rêvé d'un 11 mai vraiment sobre
Où alcool, drogue, fumée, ni chicha ne s'offrent

Où des jeunes conscients conservent ainsi leur santé au propre
S'éloignant donc des pratiques anéthiques : l'opprobre
Ma plume à nouveau, tremble et chante pour hommager
Mais incapable, elle semble de bien louanger

Cet être qui de son vivant, par la vie était une icône

En quatre pour un petit de quatre

« Aux âmes bien nées, La valeur n'attend point le nombre des
années ».

Aujourd'hui, votre valeur se mesure en fait
À ce que, pour vous révéler, vous faites
C'est sincère. Pendant un instant, j'ai oublié le monde…
Oublié ma couleur et sa couleur à lui aussi
Oui oublié, le Noir dans ma tête, une seconde

Pour penser blanc à la vue de ce blanc petit
Oublié le Mali, le Congo, Mon pays natal pour penser Paris
Sous France
Et quand vous écouterez mes souffrances
Vous réaliserez que survivre… ça fait pas rire
Car, derrière chaque Africain en Europe
Il a une histoire
Que cache, de notre sourire, la robe
Une, que beaucoup ne demandent jamais à voir
Une, écrite depuis Faso jusqu'à la Libye…
Traverser le Niger, le désert
N'était point une lubie
Pour qui n'a jamais eu jusqu'au dessert

Une, trempée de pleurs, de sueurs, celles mouillant mon âme
Même bravant ces mers aux amères
Que notre vaillance et détermination, d'avance, désarmaient
Le courage est bien une précieuse arme…
Une, surtout pleine de colère, de douleurs, de sanglots…
Une, qu'une cravache crache sur votre peau
Pendant que vous tenaille la faim
Espérant avec foi, l'Histoire vous écrire une heureuse fin
Puis, dans les tartares de l'Italie
Vous goûterez sans appétit aux tartes, aux supplices
Pour comprendre que finalement la vie vaut bien une litanie
À qui sait voir au-delà, de Capoue des délices

Beaucoup disent voir un héros en moi…
Mais en vérité le héros, le vrai
C'est celui (ce petit) qui, bon tenir, sait
Tenir bon malgré la peur, l'émoi
Et tous les Africains sont bien des héros
Surtout ceux vivant en Europe.
Oui, tous les Africains sont ce petit
Mais tous les Africains ne sont pas petits

Ainsi, en 39 secondes, j'ai vu en ces quatre niveaux, l'Afrique
Parcourant le Burkina, le Niger, la Libye pour atteindre
l'Europe
Dans le sourire d'un petit de quatre ans,
La joie et la quiétude de ses parents

En vérité, malgré tous nos différends
Nous n'avons rien finalement de différent :
Même tête, même peau, même langue, même cœur

Juste que les héros sont ceux qui choisissent d'avoir du cœur

Ainsi parlent les humains

Ainsi agissent les humains…

Échos du silence...

C'est du silence méditatif de la nature
Que l'esprit puise toute son énergie, vraie et pure.
Le savourer se baignant dans les eaux,
Pour ressortir encore plus saint), plus beau.

Pouvoir voir, sentir et ressentir vivant le vent
D'ici ou d'ailleurs (surtout celui des contrées du soleil levant)
Sentir ses mains se poser sur nos joues
Nous caressant affectueusement, tendrement
Nous purifiant de nos peines, douleurs et péchés d'un jour

Pouvoir écouter le silence du Silence
Presque avoir envie de lui répondre, lui parler
Lui parler des défis qu'on se lance
Et autres rêves qui en nous, défilent en ballet

Mais aussi lui parler de nos noires qu'on voit
Que l'on vit lorsque yeux fermés
L'Heure et son convoi
Semblent, le temps, arrêter

Pouvoir savoir fermer les yeux au découragement et au désespoir
Pouvoir savoir aller chercher dans les profondeurs de soi
Cette force vitale qui jamais ne trahit, ne déçoit
Car pour qui sait se relever, vivre est déjà une victoire

Père et fier…

Si seulement la terre pouvait vraiment
Comprendre…
Comprendre pendant
Une seule seconde
Tout le bonheur qui m'anime
Comprendre
Le nectar des larmes de mon âme
Cette joie si immense et si profonde
Comprendre les tempêtes de mers et de feux rageux
(Ces périples de péripéties où parfois
Périssent sans féérie une vie pleine d'espoirs…)
Que ta mère et moi avons traversés tout courageux
Si seulement le temps pouvait m'entendre
Lorsque je lui demande d'attendre…
Attendre, s'arrêter et un instant, s'asseoir
Juste un instant, l'instant que je te conte l'Histoire…
L'histoire de tes origines, de notre civilisation,
De ce merveilleux continent aux mille et une cultures et
traditions ;
L'Histoire de ton histoire ; de ta mère, des amères
Qui, impuissantes dans le temps, me désarmaient
Si seulement le ciel se pouvait rapprocher et savourer

Tout le plaisir de t'ainsi avec fierté, serrer
Dans mes bras tel mon trophée gagné
Il n'oserait plus jamais s'assombrir ni grogner
Comprendre le sens de ce bisou…
Aujourd'hui et à l'instant même, sous nos cieux
Et même au-delà de l'au-delà, mon petit amour
Retiens que tu es, le plus beau des cadeaux, à mes yeux
Mais je sais qu'à l'instant où je te poserai mon fils
Tu seras déjà un grand homme, brave et fort
Fruit fierté d'une famille qui t'admirera de sacrifices
En sacrifices, évoluer jusqu'à ton Heur à grand effort
Et le temps que je lève mes faibles yeux
Pour t'admirer et te dire ô combien je t'aime
Ô combien notre joie, ta mère et moi, est sans terme
Le temps m'aura, hélas, repris la force de mes bras : je serai
déjà vieux
Maintenant va, cours et grandis
Dans la joie comme dans la tristesse, de Gandhi
Le savoir et la sagesse tu apprendras, tu auras
De près ou de loin, digne et « satis-fier », je contemplerai
scintiller ton aura.

Fils d'Afrique

Ah, qu'ils sont beaux
Sur la montagne
Les pas de ceux qui portent la voix de l'Afrique
Qui annoncent la sortie de l'Afrique de l'obscurantisme
Et l'Afrique qui gagne

Tout pouvoir nous vient de ceux qui nous écoutent et nous lisent
Et nos succès sont les fois où vous venez en grand nombre
Le réveil du continent dépend de vous, qu'on se le dise
Et si nous continuons comme ça, il sortira enfin de l'ombre

Alors de toutes les nations, de tous les pays de chez nous
Faites des disciples de Sankara et de Frantz Fanon
Laissez les médiocres et les cancrelats nous traiter de fous
C'est le résultat de notre action qui nous donnera raison

Moi, je suis avec vous, comme vous êtes avec moi, tous les jours
Et toujours
Jusqu'à l'atteinte du but, sans fracture ni entorse
C'est parce que je sais que je ne suis pas seul, que j'ai autant de
force

Ah qu'ils sont beaux !
Sur l'estrade de l'histoire
Les voix de ceux qui portent le message de Kwame Nkrumah
Qui annonce l'unité de l'Afrique face à l'impérialisme
Il faudra à coup sûr le voir pour le croire

Toute victoire nous sera donnée d'Afrique à Afrique
Du Gabon à la RCA
Du Togo au Burkina
Par la prise de conscience qu'on est tous frères
Qu'on soit Mbochi ou Kongo
Qu'on soit Togolais ou Sénégalais

Alors de tous les États sur notre Afrique
Faites des apôtres de Cheikh Anta Diop et d'Aimé Césaire
Ce retour sur soi est l'unique remède qui pourra nous sauver
Notre seule potion magique

Et restons ensemble comme ça, en un seul peuple
Tous les jours, et toujours
Jusqu'à ce qu'on soit débarrassé de notre esclave intérieur
Celui qui cause notre complexe, celui qu'on a traité de meuble

Ah qu'il est beau !
Le Message que portent les enfants d'Afrique
Qui annoncent la montée d'une génération audacieuse
Et une façon nouvelle de faire et de penser

Tout pouvoir nous a été donné par la connaissance accumulée
L'apprentissage des leçons que notre Histoire nous a enseignées

Alors de toutes les tribus et de toutes les langues
Faites des adeptes du courant lumumbiste
Et Sékou Touré, Kwamé Nkrumah et Olympio sont avec nous
Tous les jours
Jusqu'à la fin des temps.

Poussière

La terre nous prend
D'abord comme des graines
Jetées à son visage.

Puis elle attend
Comme un lion sa proie
Tait jusqu'au silence de ses pas.

Regarde la vie nous arroser
L'espoir nous nourrir
Parfois le rêve nous visiter.

À chaque mort
Il est matin
Il est tôt.

Elle écoute nos conversations
Grandir
Devenir et réussir à vivre.

Et quand la chair
Effleure la fleur de l'âge
Vient donc la mort par l'ange.

La terre surgit
S'ouvre
Et on disparaît.

À chaque mort
Il est midi
Il est chaud.

Certains sont partis
Avant le levant du jour
Devant la tombe de la nuit.

Le souffle renvoie la chair
Qui, quitte ou double
À la vitesse de la poussière

Il faut mûrir pour mourir
À vie pourtant
À mort portant !

À claque mort
Il est soir
Il est froid.

Bantou, Battons-nous…

Regarde-moi.
Oui regarde-moi bien.

Au fond de moi tu sentiras le parfum inébriant
Des savanes et contrées africaines : nid de l'espoir
Dans mon chapeau tu sentiras
La sueur, l'ardeur et le parfum des tisserands : artisans

Bâtisseurs et de mon village, valeureux fils
Où au lever du soleil, cet astre paresseux
Le chant du coq pouvait arrêter le temps, tourner
Juste pour nous offrir une inoubliable féérie.

Et depuis le fond de mes yeux rouge sang
J'ai appris à voir la vie en couleur : rose
Comme en l'euphorie des enfants
On y savoure les éclats de vers sans prose.

Je me suis asséché, laissant par amour, un peu de ma sueur
Arroser les graines ensemencées après des jours de durs labeurs
Je vis sur terre donc je vis de terre. Je vis la terre. Je suis la
terre noire
Riche en diamant, en uranium, en or et en fer. Je cultive la
terre, l'avenir et l'espoir.

Terre, berceau du premier homme, de l'humanité
Terre mère, terre nègre. Oui ma peau est faite de terre
Faite d'histoires. L'Histoire de ses histoires, l'Histoire de mon
identité
Celle d'un continent qui se refait et qu'ainsi la plume déterre.

Mon front fuyant, mon nez plat et ma couleur
(Source des autres couleurs), qui taisent mes hier douleurs
Me décrivent assez bien. Alors, regarde-moi bien
Je suis Noir. Très noir et très fier. Fier de l'être et des miens.

Le temps, par gratitude, a jugé bon blanchir mes cheveux.
Vivre assez longtemps est le vœu pieux
De tout être. Que mon regard te rappelle une jeunesse
Brave, laborieuse et qui a su préparer sa vieillesse.

Je suis l'héritier d'une couleur et d'une riche tradition
Que depuis des hier immémoriaux, les griots magnifiaient.
Oui regarde-moi bien, sans mépris ni indignation :
Car je suis un bantou digne et fier.

Hommage à Sony Labou Tansi

Dans le ciel les oiseaux se sont envolés en éclat retentissant
Laissant place à un vide, un silence assourdissant
D'où l'on pouvait entrevoir, cœur meurtri, l'art triste…
Hélas ! Venait d'ainsi partir l'artiste.

Parce qu'au fond
L'artiste jamais ne meurt…
Car cette vie, ce « cocon »
N'est que doux leurre.

La vie a ses doux laits et ses douleurs
Et tour à tour chacun y goûtera et pleurera
Quand un ami (Très) passera…
Mais aussi chacun comprendra et grandira
Quand un frère désormais, seuls nous laissera
Abattus et affaiblis dans le malheur de l'heure.

Impossible de trouver les lettres percutantes :
L'être consonne
Lettres qu'on sonne…
Les voyelles
Ces voix : ailes
Aux plumes berçantes et perçantes

Qui ne voyaient en l'autre aucun défaut
Oui, difficile de trouver les justes
Mots
Ceux-là mêmes qu'il faut
Pour celui qui ajuste
Et éradique par ses mots, les maux.

Difficile de retenir les larmes de l'âme
Pour celui qui a vécu séchant çà et là, des larmes
Tirant sur la sonnette de l'alarme
Cicatrisant et effaçant les plaies de certaines lames.

Tel était le sens de son combat
Museler, étrangler, étouffer les maux
Au nom d'un demain meilleur et plus beau
Telle était ainsi la mission, sur un sol d'art, de ce soldat.

En vérité l'artiste
Jamais, ne meurt
Toujours il demeure
Tant que l'art tisse
Et prône amour, justice
Égalité, travail et paix.

Soldat défenseur des opprimés
Originel fidèle des faibles et des brimés
Naturalisé leader épris de paix
Instamment… pour nous tu es un repère
À jamais dans nos cœurs
Nuit et jour, tu demeureras notre lueur

Les oiseaux se cachent pour mourir
Dans le silence, sans bruits et cris
L'artiste lui, luit et fait éternellement
Chaque cri de chacun de ses écrits.

Le bonheur n'est pas ailleurs...

Pourquoi partir là-bas ?
Là-bas où les vents, défavorables, sont en colère
Là-bas où les gens, cœurs insensibles sont encore laids
Oui pourquoi partir forcément là-bas ?

Pourquoi risquer le suicidaire ? L'aventure ?
Par ce désert où même le vent tue
Par cette mer, amère et affamée
Dont l'appétit est bien mal famé

Oui, pourquoi tout abandonner ici ?
Ici qui, malgré tes problèmes et autres péripéties
Reste quand même ta terre natale, la Terre-Mère
Celle qui t'a vu grandir et qui, bien t'aimait.

Pourquoi croire que l'espoir est en cet ailleurs ?
Où la turpitude en bon tailleur
Coud la barbarie, l'esclavage, en broderie
Sur un tissu social ensanglanté, en porcherie.

Pourquoi croire que tout est perdu ?
C'est vrai qu'ici la misère, la galère, toujours perdurent

Rappelle-toi qu'elle peut l'être encore plus là-bas
Là-bas où le racisme sous overdose de xénophobie,
constamment sur toi s'abat.

Et pourquoi accepter aller gaspiller toute une somme
Au nom de ce là-bas où en bête de somme
Tu es maltraité, réduit à moins qu'un ver sans valeur
Humilié, tabassé, torturé, violé, violenté, instrumentalisé,
Éventré, disséqué et tes organes vendus par ces voleurs

Ces voleurs, parfois en complicité avec tes frères noirs de peau
Et pourquoi vouloir coûte que coûte partir ?
Ne sais-tu pas que ce simulacre de paradis
Vers où tu vas, a été bâti grâce aux ressources de ton continent
si beau ?

Chers amis, dites-moi pourquoi donc là-bas ?
Qu'ont-ils là-bas qu'ici, l'on n'a pas ?
Et à qui laissez-vous alors nos terres fertiles
Nos paisibles et paradisiaques cités où, bon vivre il fait ?

Oui, à qui abandonnez-vous nos historiques sites touristiques ?
À qui laissez-vous nos innombrables ressources halieutiques ?
Quid donc de nos myriades bétails de taille
Dont l'importance, aujourd'hui, reste un considérable détail ?

Pourquoi partir là-bas réactualiser l'esclavage ?
Sacrifiant votre liberté et humanité acquise au prix de combats
sauvages
Alors que plus de 3000 langues font notre diversité
Une richesse qui confirme bien notre identité.

Pourquoi donc abandonner nos 90 % de ressources en
plutonium
Nos 50 % de ressources en diamant, 50 % de celles d'or
Et nos 30 % de ressources en uranium ?
Franchement dites-moi, à qui voulez-vous léguer tous ces
trésors ?

Où vas-tu ainsi donc Africain (fierté du continent noir)
À travers la mer qui, sans modération boit, noie ?
À travers la vastitude immémoriale du désert
Qui, insatiable, bouffe tout en dessert ?

Africains de la diaspora, et si vous reveniez tous au pays
Qu'ensemble nous travaillons ;
Avec l'espoir qui encore nous habite, prêt à obéir
Qu'importent nos ego, nos défauts, nos haillons ?

Et si vous restiez tous sur notre continent-famille
Qu'ensemble la houe en les deux mains
Nous labourons vainquant ainsi la famine
Et assurant aux générations futures, un meilleur lendemain ?

Africains de notre continent
Réveillez-vous
Levez-vous
Unissez-vous
Battez-vous !
L'avenir, c'est ici et maintenant !

Hommage à la femme

À toutes ces braves dames
Ces femmes, ces amazones d'armes
Sensibles de cœur mais coriaces dans l'âme
À vous j'écris pour sécher et saluer vos larmes.

Oui à vous j'avoue, je voue ces vers
Doux, gentils et pas du tout sévères
En hommage aux titanesques tâches
Qu'au quotidien vous abattez sans relâche.

Femme leader, femme battante, soldat de l'ombre !
Celle qui, en coulisse, nourrit des bouches en grand nombre
Celle qui, à travers ses multiples et petites activités
S'échine et maintient le foyer, la nation, en réactivité.

Celle qui, sous le soleil, sous la pluie
Sueur au corps, se bat pour être plu
Dans la société d'aujourd'hui
Pour se voir rétribuer sa place, son mérite, son dû.

Celle qui prend la houe depuis les champs du village
Celle qui prend la pirogue sous le chant du rivage

Pour sauver, sortir l'économie d'une noyade, d'un mauvais
sillage
Maintenant, ainsi tout un système, tout un continent en éclairage.

À la femme noire,
Je crois donc je bois…
À la femme noire
En ces vers, je noie
Respect et considération
Pour ses nobles et considérables actions.

À la femme noire, que l'Histoire ne pourra jamais dédommager
J'ai écrit pour saluer, pour louer, louanger et hommager
Au nom de tous : enfants, jeunes, adultes et hommes âgés…
Aujourd'hui l'Humanité avec humilité reconnaît que sans
VOUS,
Rien ne pourra être bien managé.

Appel au patriotisme

À eux on a privé la liberté
Après avoir brûlé
Leurs maisons
Sans aucune raison.

À eux on a imposé
Une vie sombre et rythmée
Des violences et d'abus
Aux sons des obus.

Eux seuls ont pu découvrir
Le bourreau qui les a fait souffrir
Eux seuls sillonnent et courent
À la recherche de quelque secours.

Privés de notre amour
Injuste silence, comme toujours
Nous les avons laissés mourir à Beni
Et dans les villages du Kasaï.

Nous autres éloignés
De leurs territoires agressés

Avons appris à oublier
Qu'un seul destin nous liait.

Séparés de leur triste réalité
Endormis dans nos Villas climatisées
Nous avons vite oublié
Qu'ensemble nous devrions nous battre pour la liberté.

Et pourtant
Nous avons le même sang
Enfants d'une seule mère
Il nous a manqué le sentiment patriotique.

À vous qui me lisez
Vous autres qui m'entendez
Il est temps de nous aimer
Et notre continent, de le protéger.

Ceux qui meurent ne sont pas des inconnus
Mais plutôt des frères abandonnés et méconnus
Passons-nous de nos divisions
Et travaillons pour une nouvelle vision

Celle d'une Patrie réunie
Que nos ancêtres avaient bénie
Dans un élan de patriotisme et de fraternité
Allons défendre notre Terre menacée.

N'attendez pas qu'ils soient tous décimés
Par l'ennemi qui nous a toujours divisés,
Pour que sur leur tombe nous allions pleurer
Vivants, réapprenons à nous aimer…

Dizan à Beni

Du sang versé
Des cœurs brisés
Des familles dispersées
Des villages brûlés
Des enfants qui pleurent
Au bord du fleuve…
Entre-temps, les uns recherchent le pouvoir
Les autres se contentent des pourboires
Alors que le peuple est meurtri
Sur sa terre de Béni…

À la guerre comme à la guerre !

Ils ont pris des armes
Pour abattre froidement
Mon peuple déjà en larmes
Aux abords du lac de sang.

Des villages entiers en deuil
Tous privés du sommeil
Pleurent leurs dignes enfants
Tués à bout portant.

Les Griots et les Anciens
Réunis avec nos Devins
Entrèrent en silence
Ceux qui sont morts sans sentence.

À nos Aïeux, j'ai crié
Et ma plume dans l'encrier
J'ai choisi d'écrire
Pour venger ce sang qu'on ignore.

Ô Ancêtres trépassés !
Et Vous Martyrs de notre dignité

Que votre sang qui circule dans nos veines
Protège votre peuple qui peine.

À la guerre comme à la guerre
Rebelles parmi les rebelles
Allons-nous battre pour la Patrie
Au diable, la guerre !

Nous ne sommes pas maudits !

Nous ne sommes pas maudits
On nous a juste habilement menti
Nous autres habitants d'une terre bénie.

Des richesses partout éparpillées
Qu'ils étaient venus piller
Ils se sont mis à nous diviser.

Dans ce mauvais jeu, emportés
Nous nous sommes entretués
Et pendant des décennies, humiliés.

De loin, ceux qui nous regardent
N'arrivent pas à comprendre
Pourquoi notre société rétrograde.

Et pourtant, les ennemis à nos portes
Pointent vers nous des flèches
Et se complaisent de notre misère.

Afrique !
Pourquoi tant de maux
Sur ton noir tableau ?

Où es-tu Thomas Sankara ?
Où es-tu Nelson Mandela ?
M'entends-tu Lumumba et Sékou Touré ?

C'est vous nos modèles
En Afrique, on veut arracher les ailes
Acceptez-vous qu'on le prive du soleil ?

Le continent est en danger
Griot, je lance mon appel à qui peut m'écouter
Personne ne viendra nous aider.

C'est à nous de travailler
Pour réapprendre à aimer
Notre Patrie bien-aimée.

L'Afrique garde en ses mains
Les clefs du grand destin
De notre humanité. Remettons-les sur le chemin.

Pour que demain nous soyons fiers
D'avoir quitté la galère
Réapprenons à vivre comme des frères.

Quand ils viendront nous distraire
Et nous imposer ensuite la guerre
Ça sera tard, nous aurons déjà renoncé à leur bréviaire.

Quand ils viendront chercher
Dans tous les puits nos minerais
Nous nous en serions déjà appropriés.

Quand ils voudront ressusciter
Les querelles de nos anciennes velléités
Ça sera tard, nous aurons déjà appris à cohabiter.

Quand ils iront vers nos aînés
Pour les séduire et les armer
Ça sera tard, nous aurons déjà appris à nous aimer.

N'ayons pas peur
Le continent dans nos cœurs
Créons son bonheur.

Lorsque nous aurons reconquis notre fierté
Dans la paix retrouvée
Peuple grand, peuple libre à jamais

Marchons avec dignité
Guidé par notre amour
Tête haute, nous sommes Africains !

Né au cœur d'Afrique

Je suis né dans une modestie exceptionnelle
Au cœur d'Afrique, pays de mes aïeux
Au moment où se tournait le film de tragédie
Et tombait la pluie de misère.

Je suis né à l'époque où le petit Léopard
Dévorait sans gêne ses proies
Et qu'aucun tam-tam de fête
N'était entre les genoux.

Je suis né dans les profondes déchirures
De mon pays où ruisselle le sang
Qui afflue la terre bénie
De mes Ancêtres.

Poète des angoisses et des cris
J'écris pour mes frères affamés
Pourtant entourés de pains
Et dont les larmes ne cessent de couler.

Ces enfants aux pays de la guerre

Ces enfants s'offrent tout le bonheur
Ils jouent, oubliant leur misère
Dans ces villes en poussière
Complètement détruites par la guerre.

Ils n'ont aucune haine
Pour toutes les frappes aériennes
Qui ont détruit leurs manèges
La vie est pour eux le plus grand privilège.

Ne pouvant se rendre à l'école
Ils se rassemblent avec des jouets qu'ils bricolent
La guerre ayant détruit tous les lieux de loisirs
Ils ne savent pas ce que réserve l'avenir.

Ils sont de la Syrie, d'Irak et d'Afghanistan
Du Grand Congo et du Soudan
De l'Érythrée, de l'Éthiopie et du Yémen
De la Libye, de la Somalie et de l'Ukraine.

Leurs aînés sont morts
Les pays en ont perdu parmi les plus forts

Quelques-uns errent à la recherche d'un refuge
Hélas ! Partout on les refuse.

Mais ces enfants restés au pays
Et sur lesquels le soleil luit
S'offrent ne serait-ce qu'un simple sourire
Malgré qu'ils aient vu leurs amis mourir.

À un pèlerin inconnu

Ô Pèlerin, oh toi mon Frère
Te souviens-tu de la Maison du Père
Et de nos jours de fête
Vécus avant la chute ?

Te rappelles-tu son grand jardin
Où tu allais te ressourcer chaque matin ?
Et ses belles fleurs
Qui, à la seule vue, t'offraient le bonheur ?

Après le mauvais usage de ta Volonté
Tu as de toi-même choisi de quitter
La belle Patrie
Où tout était Vie !

Depuis qu'incarné dans un corps de matières
Tu gémis, tu erres comme tous tes congénères.
Et te rappelant les quelques images cicatricielles
Tu as tenté, en désordre, de créer ce petit paradis artificiel.

Dans cette prison où tu as fini par te renfermer
Souviens-toi qu'il faut juste réapprendre à aimer
Pour espérer sortir de la vaste forêt des erreurs
Et entrevoir la voie du vrai Bonheur.

Ô pèlerin, oh toi mon frère
Notre Royaume n'est pas de cette terre
Nous devons retourner à la Patrie originelle
Et quitter pour toujours ce monde éphémère.

Accompagnés de nos frères, même les plus élémentaires
Mettons fin à ce séjour temporaire
Travaillant pour notre réconciliation
Nous parviendrons à la belle Réintégration.

La traversée

Nageons jusqu'à l'autre rive
Traversons ce fleuve agité
Allons trouver une terre paisible
Sous un ciel ensoleillé.

C'est juste le vent
Qui en a noirci les contours au passage
Ne te fais pas de mauvais sang
Nous sortirons de ce noir rivage.

C'est un obstacle devant nous érigé
Pour le surmonter, ayons du courage
Face à ces eaux troublées
Soyons vigilants, bravons l'orage !

Ce chuchotement du vent annonce une averse
Et le fleuve risquera de nous avaler
Tiens fort, il faut qu'on traverse
Et notre bonheur, allons le retrouver.

La nuit

Elle est tombée ici la nuit
Comme d'un arbre un fruit
Presque sans pas, sans bruit
Nous prendre dans son étui
Elle est encre et
Tâche larmoyante
La nuit est fête
Pour pleurer
De joie
De sel
De sueur
Et de sang.
Les nuits blanches
Sont boueuses
Il faut nager
À mots crawlés.
Elle est tombée quelque part la nuit.
Elle se relèvera encore dans un bruit.
Quand elle nous vomira de son étui
Est-ce pour être mûrs comme un fruit ?

Une voix

Je vous écrirai d'une seule voix
Mots de toutes les encres
Je vous parlerai d'un seul souffle
Poèmes de toutes les muses.
Je vous dessinerai d'une ligne à l'aube
Lettres, chacune avec votre âme
Je vous chercherai à la lumière des ombres
Verbes, chairs de tous les silences.
Je vous suivrai dans vos langues dans les bois
Et je reviendrai en arpentant les nuages
Les dunes, les montages, et les rivières
Pages, tournées devant les horizons.
Je vous servirai sans chaînes et sans gré
Comme l'écho revient sans qu'on le voie.
Je serai là à vos ordres alphabétiques.
Alors mon nom propre sera commun au Poète.

Écrire

Écrire, c'est un acte qui consiste à briser toutes ses chaînes
Le seul vrai moyen d'évasion, l'unique porte vers toutes les
sorties
Le geste inutile qui reste et la grandeur de se faire tout petit
C'est narguer à plein nez, tous les malheurs et ce qu'ils traînent
D'ombres et de ténèbres. Écrire c'est une parenthèse souveraine
Ouverte dans la compagnie d'une solitude solidaire travestie.
Ni acte, ni pacte, ce n'est qu'un signe de détresse convertie
Cri qui s'écrie ou souffle qui siffle, il soigne la condition
humaine.
Écrire pour s'étoffer de mots quand on s'en va à la mort
s'étouffer.
Rester, quand tout le reste est perdu, et qu'il faut cueillir alors
l'effet
Celui qui dessine les mots tient le bouclier contre toutes les
armées.
Écrire suffit. Un papier qui porte l'univers, une encre qui le peint
Il faut donner l'écriture aux humains comme on leur offre du
pain
Car j'ai appris les mots liés, qu'il faut peut-être écrire avant
d'aimer.

L'éveilleur de nuit

Je vais veiller sur toute cette nuit
Avec au choix le chant des charmes de douces mélodies
Celles qui font dormir les oiseaux, les cieux et les eaux
Celles qui s'écrivent comme des rêves aux revers perdus
Comme un sourire de l'inconnu surpris dans la rue
Qui laisse des portions de frissons pour étancher la peau.
Je vais veiller sur toute cette nuit
Pour cueillir la première goutte rose de l'aube
Larme chaude, avorton craché des pluies
Mes yeux vibrent sur chaque fibre de cette robe
Qui tombe comme un rideau hideux de chagrins
Au crépuscule, la nuit, le jour et moi, ne ferons qu'un.
Je vais veiller sur toute cette nuit
Je serai là comme une promesse à un fidèle ami
Je serai encore là quand elle rendra l'ombre sœur
Quand la lueur tombera du ciel comme une sueur
Je serai à son chevet quand fuiront les étoiles
Et je vais l'ensevelir, dans le jour, à poil.

Retour à la terre natale

Je rentrerai
Je rentrerai un jour en Afrique
Je retrouverai la rougeur des murs de brique
Du sang sortit des plaies de mes aïeux
Et de ceux qui partirent sans pouvoir me dire adieu
Je retournerai
Je retournerai un jour en Afrique
Je choisirai peut-être le Mozambique
Histoire de faire découvrir à mes yeux
D'autres trésors du continent que nous a offerts Dieu
Oui je repartirai
Je repartirai chez moi en Afrique
Je refoulerai cette terre que l'on dit maléfique
Et je prouverai que rien n'est plus saint que ce lieu
Être Africain c'est ce qui peut t'arriver de mieux
Alors je m'en irai
Je quitterai cette Europe hypocrite et sadique
Et ne regretterai ni l'Allemagne ni la Belgique
Je m'en irai chez moi là où on vénère encore les vieux
Et où le soleil réchauffe toute l'année les cieux
Pour toujours, je reviendrai
Je reviendrai vers ma mère nourricière l'Afrique

Je n'aurai plus jamais ce rôle d'Étranger tragique
Dans ces pays où les gens font semblant d'être pieux
Alors qu'à la moindre occasion ils vous planteront un pieu
Je te le promets, Afrique
Je suis moins séduit par Mozart ou Montesquieu
Que par tes paysages irréels et majestueux
Et un jour, un jour très proche
Je reviendrai vers toi mon Afrique.

Burkina

Ici à Ouaga
Tu es en guérilla
Contredis hors-la-loi
Traîtres généraux, pourquoi
Votre rêve, assassiner encore Sankara
Soumettre votre maison chérie à l'omerta
La nation est blessée par vos propres doigts
Les enfants morts par balles lors de vos razzias
Aurez-vous encore le courage de le regarder droit
Votre peuple, que vous ne respectez et n'aimez pas
Généraux pis que le choléra, chaque fils passé à trépas
Est une graine mise en terre, soyez rassurés, elle germera
Comme une belle rose, cette nouvelle graine vous éblouira
Moi qui viens du pays où le sang a coulé depuis Brazzaville
J'admire ce peuple intègre qui pour sa dignité et liberté se bat
Je n'ai pas le courage de contempler ce sang qui coule et rester
coi
Vous aurez audience avec la potence et le peuple du Burkina
triomphera.

Terre de mes ancêtres

Terre de mes ancêtres, tu es ma joie mémorable
Même si le malheur est partout ici durable
Terre de mes ancêtres, tu es la terre des Libres
C'est pour toi que mon cœur vibre
Terre de l'olivier, du soleil et des montagnes
Ton parfum hypnotise les cœurs ravis de belles campagnes
Ton alphabet a été pour longtemps, rouillé
Et on a été malheureusement obligé de l'oublier
Ses beaux caractères fugueraient sur les tapis des grand-mères
Et on se demandait qui sont ces lettres transcrites à l'envers.
Maintenant que cet alphabet vivra pour l'éternité.

Fête des Mères

Aujourd'hui, je pause un instant
Pour penser à ces mendiants mendiant…
À ces gens arpentant les trottoirs et dormant
À la belle étoile sur les caniveaux ou dans les égouts béants.

À ces Êtres, aujourd'hui écartés et inconsidérés
Pourtant nés d'une douce et tendre mère si vénérée.

Je pense à ces jeunes enfants orphelins
Qui, au quotidien dans les ghettos, pour survivre en hors-félins
Parfois, sont obligés de mendier, voler ou tuer.
À ces gamins sans passé, au présent presque cassé et dont
l'avenir semble bousillé.

Oui je pense à ces enfants, jeunes filles et mères
Croupissant dans les prisons, car détenues
Constamment violées et sales, jamais en deux tenues
Qui sous d'autres situations, pourraient être députées ou maires.

Puis je pense à ces asiles remplis de gens dits vivants avec une
« différence »
Pourtant nés d'une mère, un modèle de référence.

Mais je pense encore à ces jeunes qui s'entretuent dans les
guerres
Qui nés ou pas d'une même mère devant la vie, restent frères
À ces mères, souffle de vie, toujours gaies :
Ne vous culpabilisez guère. Le temps en fera les frais.

Mais je pense à ces braqueurs, bandits et mafieux
Qui créent des orphelins, tuant les mères
Briseurs de cœurs car, en manque de chaleur, du « feu »
Oui, ce doux feu qui, absent d'un être, en fait un « amer ».

Je pense encore à ces enfants jetés et abandonnés aujourd'hui
sur les tas d'ordures
Parce que non désirés, encombrants, donc pas la bienvenue
Et pourtant parmi eux, de futurs leaders, présidents de demain
Heureusement mère vie sait les couver de ses deux mains.

Parfois difficile de trouver les justes mots
Pour l'Être qui a lavé tous mes maux
Des conseils de vie notés dans les mémos
Jusqu'aux expériences pratiques faites en démos.

Aujourd'hui c'est la fête des mères et je pense fertile
À ces mères déjà parties, emportées par le courant de la mer
Et puis je pense à ces femmes privées de la joie d'être mère,
car stériles
Sous la stigmatisation et l'espoir, elles se battent au quotidien
de cette vie d'amères.

C'est la fête des Mères
Et je n'ai rien à t'offrir
Pour te faire plaisir
Sinon l'engagement pris
De vivre tout le restant de ma vie
Pour te célébrer à jamais, désormais.

J'étais là-bas

J'étais là-bas…
Parti pour un voyage, une aventure
Poches vides, sans réelle monture
À la rencontre de la Vie pendant une seconde
À la croisée des gens du monde.
Oui, j'étais là-bas…
Au pays du soleil ardent aux rayons corsés
Où l'eau, momentanément avec la nappe a divorcé.
Dans ces régions où au quotidien seul l'espoir fait vivre…
Pendant que certains travaillent et que d'autres trichent…
Là-bas où les routes sont des nids d'autruches
Où les virages énervent et enivrent.
Cet endroit où s'abreuve la curiosité
Dans la vastitude du désert avare
Où s'étanchent, jadis assoiffés, les regards
Pour se perdre dans le paysage et sa beauté.
Un défilé, de vallées sans valets, en cent ballets…
À notre vue le vent paniquait et semblait s'emballer
La faune, pingre, conserve avec parcimonie
Ses espèces menacées de disparition, source d'harmonie.
J'étais là-bas où jamais ne s'éteint, le soleil
Réchauffant la nuit et son sommeil

Une végétation teigneuse
En quête d'une verdure plus soigneuse…
J'étais là-bas… où fumer est norme
Chez les jeunes enfants
Signe de virilité qui fait un homme.
Je pense aux pauvres parents ignorants !
Dans ces contrées où presque tout est importé…
Dans ces marchés, de divers produits, bien garnis
Un endroit où diversité et couleurs se marient
Et confirment que l'existence est pluralité.
Ce pays où la pluie rarissime s'accompagne
Souvent de tempête de sable, sa compagne
Emportant parfois des maisons où devant les Novelas, des
mères veillent…
Dans les rues de cette capitale gorgée de potentialités et de
merveilles.
J'étais aussi là-bas…
Dans ce musée où « dinosaures », hippopotames et autruches
Cohabitent ; jouant même avec des ballons de baudruche
Des hyènes sans haine jouent aux claquettes
Avec un bouc à trois pattes, à queue en plaquette
Dans cet endroit où la faune se restaure, ravie et enchantée
Pour le plaisir des touristes et d'un pays en chantier.
Enfin j'étais là-bas…
Au nom de l'aventure pour « tourismer »
Avec ces chauffeurs qui n'hésitent pas à tout risquer
Au nom de l'argent, de la famille
Et de leur progéniture ;
Pour une vie, un monde sans famine,
Mais plein de quiétude et de projets.
Eh oui j'étais à Niamey, au Niger

Où, comme partout ailleurs
« La vie n'est ni gâteau ni chère »
À bord de ce titan où je nichais.

Jeunesse africaine dans l'obscurité

Un monde excitant pas comme les autres
Où des folies et sales jeux naissent
Incontrôlables, les maux affluent tel l'exode.

Il y a ces temples mortels appelés buvettes
Où « l'eau-de-mort » coule à flots dans les burettes.
Où autour d'une foultitude de bouteilles
L'argent, difficilement ou facilement acquis, ainsi se vide en
corbeille.

Il y est endroit agréablement parfumé
Où la chicha drogue la fumée
Étourdit et étouffe l'éthique dans ces « esprits » moins futés
Aux avenirs, malicieusement et subtilement, déroutés
Dans les boîtes de nuit, la tentation, se jouant de la perversité
de la perversion
Sans diversion
Striptease et couche bien avec le mal
Un « con'sert » des maux où le péché ouvre le bal
Sous des airs, requiem, en cent dix versions
C'est un monde gouverné par le sexe, désormais sans tabou
Vendu un peu partout dans les rues sans détour
Même poche à volonté au-delà même de deux tours

Ma plume tremble et semble incapable de décrire les bassesses
De cette jeunesse dite « consciente » où l'inconscience en cent
ébats et sans débat, bat sexe.
Oui cette jeunesse qui, ivre se livre aujourd'hui à tout genre de
« jeux sans démos »
Au prix de leur vie, créant ainsi une société avec plus de cent
deux maux.

Mais j'ai rêvé d'une société où la jeunesse s'est ressaisie, s'est
retrouvée
Et s'abreuve désormais dans ses valeurs traditionnelles et ses
« cultures à six dentelles »
Loin de l'aveuglant « suivisme occidental accidentel ».
Enfin j'ai rêvé de cette jeunesse africaine entreprenante et unie
autour de « la jarre trouée ».

Dis-moi père

Dis-moi père…

Dis-moi père ! Qu'ai-je fait pour mériter un tel sort ?
Pourquoi avorter de sitôt mon cursus scolaire ?
Pourquoi me forces-tu au mariage contre mon cœur en colère ?
Papa ce n'est pas juste… Oui papa tu as tort.

Mais dis-moi père ! Est-ce péché de naître fille ?
Est-ce crime de me laisser continuer mes études malgré les
défis ?
Dis-moi père ! Pourquoi me vends-tu ?
Ma dignité, mon avenir, pourquoi l'éventres-tu ?

Ô mère ! Dis à mon père que je n'ai que 10 ans
Dis-lui ce que tu as enduré pour moi, 9 mois durant
Dis-lui mère, la mer des amères que tu as traversée.
Oui, dis-lui que c'est l'avenir de sa fille chérie qui est
bouleversé.

Dis-moi père ! Dans quelle poubelle as-tu jeté mes droits ?
Oui, dans quel cimetière as-tu enterré tes devoirs ?
Dans quel parc as-tu égaré ta conscience, ton humanité ?
Sous quel feu as-tu fumé, braisé et calciné ta bonté, ton
humilité ?

Ô vie ! Ô nature ! Pourquoi moi ? Qu'ai-je fait de mal ? Ô
rage !
Est-ce ainsi que finissent les filles de mon âge ?
Ô monde ! Immondice de turpitudes devenues habitude
Sauvez-moi... arrêtez ces pratiques qui prennent d'ampleur, de
magnitude.

Vous qui me lisez, dites à mon père
Que je suis une enfant : être innocent au cœur pur et frais.
Dites-lui que je suis l'avenir, le futur, l'arbre de vie, d'espoir.
Dites-le-lui pour sauver ces enfants dans le même cas que moi.

À vrai dire, je pensais que père et paix étaient pairs.
Hélas ! Je me trompais de père, de repère.
Mère n'a rien pu. Impuissante, elle a laissé faire.
Et toi lecteur, agirais-tu pour la bonne cause je l'espère ?

Le Congo

Le Congo c'est cet enfant que tu abreuvas quand il eut soif.
Il gisait au coin de la route. Le feu du soleil braisait ses lèvres.
Tu as rafraîchi sa langue. Dans l'eau de la générosité

Le Congo
C'est la jeune fille qui était là dans ta détresse
La nuit où tu as tout perdu, elle t'apportera de sa présence
Elle te disait : « Tais-toi, idiot !... je ne t'abandonnerai pas »

Le Congo c'est le frère du Gabon
Notre frère jumeau d'Afrique
Je n'ai jamais pu m'expliquer
La romance de nos deux pays
Loin de nos yeux près de nos cœurs, à des dizaines de milliers
de milles
Les Gabonais sont pourtant là, et louent un appartement chez
nous

Je viens d'apprendre le Kongo, la langue du Gabon
Puis j'ai appris le kituba et le lingala, parlée au Congo
Voici, je suis Congolais. C'est mon passeport continental
Car je me sens comme un hybride

A-t-on jamais vu en Afrique
Deux complices aussi chaleureux
Deux jeunes gens aussi amoureux
Deux tourtereaux aussi chanceux
Que le Congo et le Gabon ?
Je fais le serment qu'au mariage, je serai
Je mettrai ma chemise congolaise et ma cravate gabonaise.

Parce que le Gabon
C'est la terre des Gabonais
La patrie de mes amis
Le Gabon des panthères Berceau de Pierre Emerick
Aubameyang
Que je t'aime ! Mon Gabon

Périple d'une flamme

Un voyage au cœur de la mer
Un monde merveilleux, sans tempêtes, sans dérives
Un navire qui donne ou sauve des vies sans devis
Parfois, périple de péripéties aux périphéries où périssent en
féérie, une ou deux vies.
À bord de ce navire, je navigue et nage vers « cent deux rives »
Ce navire ou cet être innocent aux cent noms fascinants : c'est
la mère.

Elle, le pont entre cette mer où jadis j'étais et ma vie nouvelle
Où après multiples atroces douleurs, elle parvint à me conduire
au rivage
Où d'un cri strident, j'annonçai enfin mon arrivée sur terre
Ce monde noyé par des écoles aux couleurs universitaires

Où souffrances, échecs et expériences font ravage
Désormais loin de cette mer, les mammaires de ma mère
m'élèvent telle une vieille.

Un tourisme d'amour avec elle, mon guide éclairé et averti
Sur cette « carte », impossible de découvrir les mondes sans
Tanger

C'est un monde immonde, sauvage, barbare et plein de cent
dangers
Des vies, elle passera toute sa vie à sauver, à protéger, à
soigner, à nourrir, à servir et à vêtir.

Au marché, elle sait me vendre son plus beau sourire
Et pour me voir joice, en sacrifice à la vie, toujours prête à s'offrir
Pour mon bonheur, elle marchande peu avec la vie et sans
profusion
Des cartons de courage, des conserves d'espoir et d'un mental
d'acier : voilà les provisions.

Au cinéma, assis sur ses cuisses, elle ressasse le film de ma
naissance
Dans la chaleur de ses bras, mon film y trouve toute son essence

Il y a des films que l'on regarde coi, pétrifié, sans mot dire
Retraçant souvent les souffrances, les vicissitudes d'une vie,
d'une mère : un film maudit !
Et il y a des films que l'on regarde ébloui, fasciné, ému et
larmes aux yeux
Exposant les exploits d'une amazone, d'une actrice, d'une
héroïne aux forces d'un dieu.

Mais, le plus beau film de ma vie était à la fois doux et amer
Plein d'amours, de douleurs, d'expériences, de suspens longs et
pas courts
Il a duré 9 mois, 9 années, 9 décennies. Quel sacré beau parcours !
J'ai eu la chance, pas comme certains, de vivre ce film de près
C'était dans le « ventre » de ma mère.

Entre jeunesse et conscience, où est donc passée dame humanité ?

Je suis allé sur Google chercher
Le sens du mot HUMANITÉ
Mais hélas ! Aucune page pour me renseigner

Je suis allé sur mon GPS, localiser HUMANITÉ,
Mais impossible. Porté disparu.

Je me suis donc dirigé vers le cœur de l'Homme
Il faisait sombre et un froid d'hiver
La lanterne de l'espoir en main
À vrai dire…

Je cherchai Humanité dans le cœur de l'Homme mais en vain
J'y ai par contre, trouvé Haine, Méchanceté et Mauvaise foi.

À l'actualité mondiale personne n'est gai
On assiste à une flopée d'attentats et de guerres.
Où est donc passée Humanité ?

Aux dernières nouvelles,
Elle a été aperçue dans certains rares bons cœurs.

Voilà bien là, une image qui en dit plus que mes mots.
C'est le tableau de ma génération et de ses maux.

Oui, la génération du 21e siècle souffre, est malade et se meurt.
Souffrez que ce ne soit du leurre.
Mais, Vérité…

Oui ma génération a troqué l'Humanité
Contre les gadgets de la technologie.

Nous attachons plus d'importance à nos portables et réseaux
sociaux…
Négligeant ainsi nos amis, frères et bien d'autres problèmes
cruciaux.
Où donc est passée dame Humanité ?
Où est passée l'entraide ? La générosité ?

Où est passé l'Altruisme ? L'amour du prochain ?
De bien beaux et bons sentiments…
Décide de vivre sans, tu mens !

Voilà ce qu'est devenue la Jeunesse, ma Jeunesse, notre
Jeunesse
C'est triste à dire mais c'est triste comme ça me crispe…
Ce qui nous arrive : bien ou mal ?

Nul, outre le Temps, ne pourra mieux répondre
Pour vous, ces écrits, je viens de pondre
En attendant le retour de l'Humanité à son humanité,

Toi qui me lis
Nettoie ton cœur…
Et que
Fiat Lux !

Au marathon de la mort, se marre-t-on de la mort ?

Assis dans une cafétéria, devant moi, de jeunes renversés
Accident de circulation : morts et graves blessés

J'ai vu dans la circulation
La vitesse
J'ai vu des cœurs en lamentation
Et en détresse
Des vies emportées par un accident avec tendresse
Course à la montre : une barrière devant nous, le temps dresse

Cœurs meurtris. Noble douleur qui parfois, tant blessé
Le temps laisse sans leste mais avec l'esse, Tristesse
Tristesse, ce même cri qui stresse
Quand, Une crise telle
Stresse sans cesse Christelle.

À quoi bon donc, rime vitesse
De cent à l'heure
Avec, aujourd'hui, ma jeunesse
Née Sans peur ?

Pour quel marathon courons-nous si vite ?
Sinon celui d'une certaine mort subite ?
Et parfois, pour aller si vite
Il faut accepter que Doucement aussi, s'invite

Sachez que cette Vie n'est qu'Une. Donc une Vie-test
Raison de plus pour diluer en circulation, notre vitesse

Ma plume pleure, s'écrie et s'attriste
Sur le sort de ceux qui, au guidon, au volant, souvent trop
s'agitent
Une leçon, ce texte véhicule :
La vie, trop belle et courte pour n'être bien vécue.

« Indépendance » ou « indépendance » ?

« Lorsque le chien aboie ou dérange de trop
Son maître, pour le calmer, lui jette souvent un os »
Voilà ce dans quoi nous vivons
Depuis 58 ans… Et nous persistons.
Oui, puisque depuis
Tout ce temps, le « chien » n'a fait que croquer l'os
Sans grand profit
Sans pouvoir bien grossir
Bien se développer
Et tout chien qui attend ou compte
Sur l'os de son maître pour évoluer
Énormément se trompe
Demeurera donc toujours maigre
Ne se développera donc jamais
Il faudra que le chien, tôt ou tard
Brise ses chaînes
Arrache son indépendance la vraie
Et prenne son destin en main
Pour son réel développement.
Car jusque-là
Nous ne sommes pas encore dans l'indépendance
Mais toujours en plein « indépendance »

Indépendance sur papier
Mais toujours dépendance dans la réalité
Les pays d'Afrique en majorité fêtent aujourd'hui leurs
cinquante-huit ans
Mais en vérité, ressemblent toujours à une adolescente de dix-
huit ans :
De son sourire, non parcimonieuse
L'on perçoit fleurir une verdure
Aux saisons capricieuses
Où toujours, le vert dure.
Bien potelée et bien dodue
Encore naïve quoique mature
Sa mentalité
Semble bien alitée.
Mise bien en valeur, la virtuosité
De « ses ressources mises en avant-première »
L'irrésistible des fortes potentialités
De ses ressources gardées « derrière »
Attirent et attisent
Fort bien la convoitise
D'innombrables prétendants excités
En quête de « terres non foutues »
Vierges, de forêts bien touffues
À explorer, à déflorer, à bien fourrer.
Et lorsqu'un pays raffole le pain de bon gré
Mais ne produit aucun grain de blé…
Lorsqu'un pays n'aime pas manger ce qu'il produit
Lorsqu'un pays dépend presque entièrement d'autrui,
Tant en électricité, en alimentation qu'en habillement…
Lorsque les politiques sans scrupule pillent en VIP
Ne pensent qu'à leur panse constamment

Sans songer sérieusement à comment faire avancer le pays…
Lorsque dans la tête, le ventre et le corps
Le citoyen est « made from western »
Lorsque le pays n'encourage pas cette minorité qui produit
« local »
Lorsque le pays est aveuglé par la promotion du coton
Négligeant le riz, le maïs, et bien d'autres denrées…
Lorsqu'un pays pense indépendance mais ploie
Sous un système éducatif importé
Et prédestiné à déferler des vagues de diplômés sans-emploi…
Lorsqu'un citoyen, un pays
Un continent pense et vit ainsi
L'on se demande si réellement
L'on est indépendant
Ou bien, toujours noyé dans la dépendance.
Que chacun Réfléchisse et réponde sans digression :
« Indépendance or Independence ? »
That Is the question. Cessons d'aboyer
Allons chasser

Nerveux...

Je voudrais bien vous souhaiter
Tous les bons vœux
Mais le stylo tremble, dépité
Et semble bien nerveux...
Trop de justice, trop de paix et d'équité
Mon nerf veut
Trop de maux qu'avec les mots ajustés
Effacer je veux.

Le stylo crache et coule, rageux
Face aux horreurs de l'actualité
Dieu seul sait combien sont courageux
Pour supporter l'océan de sang inondant notre réalité.

Et pendant que beaucoup festoyaient
Insoucieux
Sous la fééerie de feux d'artifice brailleurs
Et merveilleux
Dehors des milliers de vies, espérance
D'antan sacrés fils
Meurent sous notre coupable silence
Triste sacrifice !

C'est l'Histoire qui s'écrie
Se crie
Dans les larmes du stylo qui écrit
Décrit
C'est l'enfant retrouvé dans les ruines
Sans vie
Quand l'explosion d'une grenade s'exprime…
Quelle tragédie !

L'Histoire ne reste longtemps
Secrète
Et le sang, l'encre que le stylo « un-débile » haletant
Sécrète
Au jeu des intérêts égoïstes, les dirigeants
Se prêtent
C'est l'histoire des massacres non dérangeants
Qui se répètent.

L'histoire des bombes qui bombent les torses
Pendant que nos proches sous nos yeux, disparaissent
C'est la science trop fière qui atomise tout
Dans la course à l'armement sans détour.

Le monde ne se serait-il pas déjà bien effondré
Bien avant Chinua et son « Le monde s'effondre » ?
L'Homme serait-il trop éhonté
Pour, outrecuidant, prétendre pouvoir y répondre ?

Mais l'Histoire peut surprendre
Puisque têtue

Chassée, elle revient toujours se reprendre
Vêtue
Du passé, en saignant…
Se tue
Parfois pour nous apprendre, en enseignant
Le futur.

Et ce jour viendra…
L'injustice, la corruption, bâillonnées
Les maux et vicissitudes à jamais menottés…

Oui ce jour viendra…
Le chant des fusils et canons, désormais muet
Et les peuples du monde, unis, en harmonie, en paix.

À celle…

À celle qui au petit matin surprend et devance le soleil
Réveille le « réveil », le coq, de son sommeil
À celle qui, à l'aube de ma vie
M'a appris l'art de la survie.

À celle qui m'a appris mes premiers pas
Me relevant à chaque chute pour un nouveau départ
Celle pour qui la vie est un petit pas (une part du trépas)
Qu'il faut souvent faire, vivre, savourer, même dans nos
« combats ».

À celle
Que parfois la société harcèle
Marginalise, violente, abuse et maltraite en silence
Mais qui, malgré tout, relève les défis que la vie lui lance.

À celle qui a souvent brûlé ses doigts
Pour me faire ma bouillie, même souffrant
Souvent sueur au front, au front affronte l'affront
De la vie, pour me redonner sourire et vive joie.

À cette Femme qui souvent s'affame
Pour que je sois rassasié
Priant que je ne connaisse jamais le brasier
Ou l'infâme d'un cœur ou d'une femme.

À celle qui devient peintre
Et de ses belles couleurs
Efface mes plus profondes douleurs
Me disant : « tu n'as plus rien à craindre ».

À celle qui s'empresse de m'allaiter
Après que mes pleurs l'avaient alerté ;
À celle que maintes fois tard la nuit, j'ai réveillé
Juste pour me dorloter ou pour sur moi veiller

Parfois pour changer ma couche
Ou pour me donner ma douche
À celle qui, même sans flûte ni piano
Sait me bercer de sa voix soprano

Sous des mélodies venues tout droit
De Las Calas, volées aux sirènes de Troie…
Oui, à celle qui a accepté vivre sans son cœur
Puisque, me l'a offert pour qu'à jamais je vive l'amour sans
peur.

L'accident...

Lui, qu'on ne voit souvent pas venir
L'imprévisible qui surgit aussi rapide que l'éclair
Interrupteur du bonheur auquel l'on rêve parvenir
Qui, pendant son instant, assombrit de notre santé, l'éclat.
Lui, de l'amour s'habille, se pare
S'empare des cœurs sympas et les sépare
Cent pas des sentiments dans les noirs d'où
Luit le désespoir, du chagrin l'amant doux.
En fait, la vie est un accident. Cependant
La souffrance reste le prix à payer avec Miséricorde
Parfois le bonheur peut-être au bout d'une corde
À laquelle certains s'accrochent, tout heureux se pendant.
L'accident, l'incident de la vitesse, de l'imprudence...
Qui surprend l'esprit distrait (lueur d'une race)
Et dans la gaieté le clou, le terrasse
Au sol, le condamnant à une (anormale danse.
Et quand autour de soi
Tout tremble, tout semble s'écrouler
Ou quand l'espoir choit nos choix, nous déçoit
Nos rêves en Titanic, ainsi, il fait couler.
Il y a toujours des leçons à tirer des bas-fonds
Que l'on touche, préparé ou non

De nos chutes sans parachutes
Et de nos blessures, bien sûr, par la suite
Ou des folies d'une vie, d'une jeunesse
De nos erreurs et/ou maladresses qui (en) graissent
Nos peines, nos douleurs et nous progressent
Vers le « lac » où, en détresse, les larmes naissent.
Il est là. Partout. Au quotidien avec nous, inséparable
Dans nos vitesses, nos ivresses, nos délits inimaginables
C'est l'ombre qui mord et la mort son renfort
Mais l'impitoyable, de douleurs nous tord et nous rend forts.
L'accident est une poésie, choc des émotions en convoi
Où tout file et défile dans les faits
Une synchronisation, une chorégraphie qu'on voit
Dans les pirouettes de l'être, de l'engin et dans l'effet.
Mais l'accident, c'est le choc des vers
Dans cette tête où rimes et frimes s'affirment vraies et rebelles
Maintenant et faisant ainsi l'esprit, un apprenant satisfaire…
Hélas, la vie est bien une ordure et l'écriture, sa poubelle.

La princesse noire

Rends les autres filles jalouses
Déboutonne ta blouse
Compare ta peau à la leur
Dépigmentée et sans valeur
Dans la tienne se cache le cœur d'une lionne
D'une véritable championne
Qui se baigne dans le fleuve Congo
Et gambade au sommet du Kilimandjaro
Je veux louer avec mon propre style
Celle qui remonte des eaux nombreuses du Nil
Comme une puissante déesse
C'est une séduisante princesse
Non, ignore ce qu'elles racontent
Ta peau noire n'est pas une honte
Mais plutôt une fierté
Une différence et une identité
Et il faut aussi que tu saches
Que ce n'est pas par manque de couleur blanche
Que Dieu t'a créé ainsi
Mais pour que des autres tu te différencies
N'échange contre rien, oh ma reine !
Ta richesse ébène
Tu es aussi très belle
Alors ne cherche pas à devenir comme elle

Le monde

La guerre vient d'emménager, La « paix » a fait ses valises
La jeune « justice » qu'on a tant violée sur un lit de mort agonise
La « loi » n'est plus suprême là où chacun agit à sa guise
La « conscience » est soit morte soit disparue, plus personne ne
culpabilise
L'espoir » va au diable, la foi n'est plus à l'église
Quand les prêtres n'appliquent plus, ce que dans la bible ils
nous lisent
Aime ton prochain comme toi-même, c'est ce que les évangiles
nous disent
Alors d'où viennent cette haine et cette ruse
À quoi servent toutes ces épées au feu qu'on aiguise
Les méchants polluent la terre, et dans leur cœur ils la détruisent
Pour oublier toutes ces images qui me hantent, me font peur
Juste avec mon violon je chante et je pleure

Sheguey

À ta porte j'ai frappé
Mais tu n'as pas répondu
Devant toi j'ai chuté
Tu ne m'as pas soutenu
Contre toute attente, on m'a adopté
Par une femme la rue
Ça ne m'a pas enchanté
Mais il n'y a que chez elle que je suis la bienvenue
Ne m'appelle pas orphelin
Je le serais si la rue meurt
Je ne suis qu'un petit vilain
Ça c'est selon la rumeur
Tu m'accuses, je vole, je sais
Mais n'est-ce pas toi qui me l'as appris ?
Et mon langage grossier
N'est-ce pas chez toi que je l'ai pris ?
Tu appelles ça français vulgaire
Moi c'est ma langue maternelle
Preuve vivante du partage inéquitable des ressources naturelles
Pendant que tu jouis dans l'abondance
Moi je meurs de carence
L'homme est bon par nature et tu connais la suite

Si je vole quand j'ai neuf ans, qui serais-je quand j'en aurai 18 ?
C'est toi hypocrite société
Qui a donné vie aux enfants de la rue
Je suis un enfant de la rue
Je suis un enfant tout nu.

Enfant soldat

Je m'appelle Kasongo
Je suis né en novembre 1997
À Beni, l'Est du Congo-Kinshasa
Aujourd'hui je vous explique pourquoi dans mes bras j'ai un
AK47
Là où le chant du coq est remplacé par les coups de feu
Là où chaque minute qui passe est un combat
Là où la paix n'existe que dans des contes de fées
Eh ben moi ! Je suis né là-bas
Les gémissements de ma mère
Lors de ma naissance
Ont été étouffés dans la guerre
Par des bombes qui rugissaient avec violence
Personne ne les a entendues
Personne, même pas mon père
Lui, qui a été abattu
Juste avant par ces gens sans cœur
C'est dans ces conditions
Qu'elle m'a enfanté
À côté des cadavres en décomposition
Au milieu des balles qui crépitaient
Mais quelque temps après

La guerre me l'a arrachée aussi
Sans savoir que je n'étais pas prêt
À affronter le diable qui m'attendait ici
Ils m'ont obligé
À les regarder violer ma maman
Je me sentais Impuissant, figé
Face à ces gens armés jusqu'aux dents
La pauvre, elle est morte
Avant même qu'ils finissent leur sale besogne
Aucun remords, aucune honte
Dans leurs yeux d'ivrogne
Désormais seul
Sans famille ni espérance
J'errais tout en maudissant le ciel
Tout en criant « vengeance ! »
Le scénario impudique
Tournait en boucle dans ma tête
Le visage de ces sadiques
En pleine rigolade, en pleine fête
Après des heures de flânerie
Dans la brousse je me suis évanoui
« Oh Dieu je vous en prie…
Prenez mon âme cette nuit »
Les bruits des tambours m'ont arraché de mon sommeil
Du coup de mon lit, j'ai bondi
Et essayer de jeter un coup d'œil
Pour savoir si j'étais au paradis…

Les migrants

Ils en ont eu ras le bol de toutes les balivernes
Des avides hypocrites politiciens ventrus qui les gouvernent
Ils ont décidé de quitter ce pauvre continent qu'on traite de
« merde »
Aller rejoindre l'eldorado où la vie n'est pas du tout laide
Traverser le désert lutter contre vents et marées
Ne sachant pas où ils vont stationner ils ont quand même
démarré
Dans leurs yeux on voit une grande volonté et un grand courage
Sur le dos un p'tit sac qui contient quelque bagage
Ils ont quitté le berceau, ils ont tourné le dos à l'Afrique
En s'imaginant que de l'autre côté du ciel tombe du fric
Il faut lutter, il faut se battre bref il faut tout faire
Pour embarquer sur cette barquette qui vous sortira de l'enfer
Certains tomberont en route ça c'est évident
Mais ne vaut-il pas mieux mourir en essayant de quitter la
merde que vivre dedans
Ces jeunes forts et pleins d'ambitions sont partis sur un même
chemin
Ces jeunes forts et pleins d'ambitions ne reviendront peut-être
jamais
Avertir les plus jeunes de ne pas croire aux rumeurs

Là-bas aussi la vie n'est pas du tout, meilleure
Eux aussi se demandent exactement comme nous
Il est où le bonheur, il est où ?

Hommage aux victimes

Lumumba, oh ! Lumumba
Qu'en est-il de son combat
Sa lutte fut-elle vaine
Est-ce qu'elle valait la peine
Nos sœurs ayant la vingtaine
Sans arrêt on les viole
Nos petits frères par centaine
Meurent comme des bestioles
Oh ! Grand Congo
Toi, la patrie chérie
Devenue une boucherie
Un enfer, un tombeau
Un pays plus beau qu'avant
Comment le bâtiront-ils
S'ils ne sont pas vivants
Dans la tombe, comment le feront-ils
La richesse de ton sous-sol
Arrosée par le sang
De tous ces innocents
Qu'on tue sans contrôle
Congo ! Un don béni
Est-ce l'impression que tu donnes

Avec toutes ces personnes
Massacrées à Beni
Ces défenseurs de droit
Assassinés dans tes rues
Ces vaillants sans effroi
Tués par ces ventrus
Ton sol sera peuplé
Par des veuves et orphelins
Ayant au cœur des plaies
Qui ne cicatriseront peut-être jamais
Un Hommage en rime
À toutes les victimes
Aux femmes et aux enfants
Ainsi qu'à ces hommes vaillants
Tôt ou tard les me… les me…
Les méchants payeront

À toi mon petit homme

C'est sans ton avis, que je t'ai amené sur cette planète
Bien que celle-ci soit remplie de gens malhonnêtes
Je comprends alors pourquoi à ta venue
Ta première réaction était un cri de pleurs et non de satisfaction
Tu comprendras vite que la vie n'est pas un long fleuve tranquille
Que sur terre personne n'a le droit de se montrer débile
Que le relief de la vie est composé de hauts et de bas
Qu'à chaque fois que le coq chante, il annonce un combat
Môme, tu te sens en sécurité dans les bras de ta maman
Malheureusement que ça ne sera pas ainsi éternellement
Tu deviendras homme, ta voie, seul tu dois la frayer
Non je ne t'écris pas ça pour te faire peur ni t'effrayer
Je suis ton papa et je t'aime bien plus que tout au monde
Sur le champ de bataille je pense à toi chaque seconde
Je me bats avec force car ma seule motivation
Est de rester en vie pour vite rentrer à la maison
C'est au milieu des crépitements que je t'écris cette lettre
Le nombre de soldats tombés ne cesse d'accroître
Je t'écris ces mots car je commence à perdre espoir
Les doutes envahissent ma certitude de te revoir
Ne crois jamais même pendant un court moment
Que je vous ai abandonnés, toi ainsi que ta maman

Même s'il arrivait que je tombe aussi dans cette guerre
Petit homme, je veux que de moi tu sois fier
Plus tard quand tu seras grand, fais preuve de courage
Montre-toi toujours plus mature que les garçons de ton âge
Bats-toi, ne pleure jamais et sois plus que brave
N'accepte jamais que d'un autre tu sois esclave
Je veux manquer de bons moments je sais
J'aimerais bien être là pour t'apprendre à chasser
N'oublie pas que je veillerai sur toi depuis là-haut
N'oublie pas que de Dieu tu es mon plus joli cadeau
Je n'ignore pas que la vie pour toi sera amère
Prends bien soin de toi ainsi que de ta mère
Quand tu seras grand tu liras certainement cette lettre
Tu feras couler les larmes de tes yeux peut-être
Ton papa qui t'aime beaucoup.

Enfant de la rue

La guerre est terminée
La paix amenée
La rébellion a fané
Des cœurs l'espoir renaît
L'ONG m'a recueilli
Et veut me redonner l'envie
De continuer ma vie
Comme tous ces petits
Être scolarisé
Tenter de stabiliser
Moi le traumatisé
Qui n'arrête de culpabiliser après ce que je viens de traverser
Tous ces sangs que je viens de verser
Il y a de quoi être bouleversé
Même si j'y étais forcé
Contraint de me soumettre
À l'ordre de commettre
Ces tueries, ces meurtres
Au village, le feu y mettre
Malgré tous ces crimes
D'une grandissime
Atrocité, je reste une victime

Selon ce qu'ils estiment
Pour moi, pas des sanctions
Je ne mérite pas la prison
Car Je ne suis qu'un petit garçon
À qui le monde doit mille et une compassions
Parce que je vais m'en tirer
Mes crimes ont été tolérés
Ne dois-je plutôt pas être heureux
Mais pourquoi je continue de pleurer ?
Malgré mes mains tachées de sang
Et un remords agonisant
Suis-je quand même innocent
Juste parce que je suis préadolescent ?
Jamais je ne peux fuir ces hurlements
Ces pleurs des bébés et de leurs mamans
Effacer de ma mémoire ces moments
Où je les égorgeais si violemment
Où j'arrachais la dignité
De cette fillette en pleine puberté
Qui en vain tentait
L'enfer de quitter
À leurs yeux je ne suis qu'un enfant
Même si j'ai tué à sang froid
À leurs yeux j'étais inconscient
Mais au fond de moi je sais
Je sais que je suis qu'un criminel.

Au petit frère sans abri

Une pensée pour ces enfants
À qui la chance n'a pas souri
À ces pauvres innocents
Sans abri, mal nourri
Une pensée pour ces terriens
Peu importe où ils vivent
Eux n'ayant souhaité rien
Mais c'est à eux que tout arrive
SDF ou enfant de la rue
Parfois fouillent dans ta poubelle
Ils auraient tant voulu
Avoir un toit et fêter Noël
Eux qu'on a mis au monde
Sans demander leur avis
Par malheur ils confondent
Le mot « souffrance » au mot « vie »
C'est avec larmes aux yeux
Un cœur plein de chagrin
Que je pense à eux
En rédigeant ce refrain
Fin d'année, Essaye de penser
Aux enfants que le bonheur n'a pas bercés

Par tes gestes essaie de panser
Ces enfants que la vie a tant blessés
Selon que les conditions vous permettent
Si le 1er chez vous il y a fête
Pense à eux, jette quelques miettes
Pour qu'ils se réjouissent aussi, comme vous le faites
Pas besoin que de votre jambon, cuisse bien cuite
Parfois juste un sourire, une attention
Un souhait « Bonne année »
Peut leur donner satisfaction
À ces humains que personne ne respecte
Aux shegueys d'ici ou d'ailleurs
Par ce poème je vous souhaite
Mes vœux les meilleurs

Un chemin de rêve

Les adultes, montrez-moi le chemin
De ce pays sans guerre
Où les kalachnikovs n'existent guère
Ce paisible endroit
Où les gens sont justes et droits
Ce pays de paix
Où on ne forge des épées
Pays de merveilles d'Alice
Nul besoin de l'armée ou la police
Les adultes, montrez-moi le chemin
De ce pays où réside le bonheur
Où personne ne souffre, personne ne pleure
De ce pays pacifique et amical
Où rien ne va mal
Ce pays sans bombe nucléaire
Non pollué, on peut bien y prendre l'air
L'herbe y pousse sans trop d'effort
On y parle encore de faune et de flore
Les adultes, montrez-moi le chemin
Vous qui vivez ici depuis si longtemps
Ne savez-vous pas où habitent les gens contents
Je veux y être aussi

Marre de tout ce qui se passe ici
Cet endroit n'existe-t-il que dans mes rêves
Est-ce le paradis perdu d'Adam et Eve
Ou ce pays est bien réel
Ici sur terre, pas loin, là au ciel
Oh ! Petit rêveur
Ici comme partout ailleurs
Les gens sont les mêmes, la vie est pareille
Il n'existe pas de pays de merveilles
Oh ! Petit gamin
Dommage ! Ça n'existe pas ce chemin
La vie n'est pas douce mais amère
Ici comme à l'outre-mer
Oh ! Petit gosse
Ne crois pas aux histoires fausses
Le paradis n'existe nulle part
Reprends tes valises, rentre chez toi, cours, pars.

Requiem

J'aime la mort
J'aime tellement la mort
Cette charte devant laquelle nous redevenons égaux
Ce tribunal sans arrogance ni orgueil
Qui se moque des bons, des beaux et des puissants
La mort aime les Noirs et les Blancs
De même que les Beurres et les Rouges
Elle chérit le Noir comme le Blanc
Et caresse le Jaune autant que le Rouge
Juste juge exempt de discrimination
Elle prône l'Égalité des sexes
Les hommes meurent, les femmes aussi
Magnanime employeur, elle ne fait aucun tri
Et recrute tous les jours
Oui, moi j'aime cette mort
Où il n'y a aucun ministre ni aucun chef d'État
Elle chérit l'homme d'affaires
Comme elle aime le mendiant
La mort réserve au banquier, le même sort qu'au chômeur
C'est pourquoi j'aime la Grande Faucheuse
Et que la mort est mon amie
C'est mon Dernier Amour. La meilleure des épouses

Elle a promis qu'un jour, elle me prendra aussi
Et mentir la répugne
Prends-toi pour qui tu veux
Donne-toi de l'importance
Aime-toi plus que les autres.
Et couvre-toi d'arrogance
La mort te réservera le sort de l'animal
Car elle nous réduit à ça, ne fais aucune différence
La mort ne hait personne
Le monarque comme la chèvre.
Le chien comme la princesse
Le gouverneur aussi
L'esclave comme le maître
Elle les conduit tous
Au même terminus
C'est la balance ultime
La dernière certitude
Je ne sais qu'une chose, c'est que je mourrai
Vérité implacable, mais qu'il vaut mieux connaître
Quand l'homme aura compris
Que devant ce sinistre procureur L'ethnie ne veut rien dire
La tribu n'a pas de sens
Et que le sang du Blanc est rouge, comme celui du Rouge
La folie cessera.

Liberté

Quand un jour je prônerai liberté égalité,
Je pense et je sais qu'ils me prendront pour un damné,
Et Quand avec ma plume j'écrirai le monde,
Rares seront au début ceux qui me suivront !
Mais je prônerai !
Toujours pour un jour, je promouvrai,
Je verserai mon encre sur les tombent de ceux qui sont tombés
sous des balles
Juste pour avoir été noirs…
Pour ceux qui furent descendus,
Parce qu'ils voulaient défendre leurs terres.
Je parlerai du monde et ses enfants,
À ces prédateurs affamés de sang humain,
À ces têtes opportunistes
Et toujours, le monde se souviendra de moi…

Âme perdue

L'âme perdue d'une nation

Le mérite et le triomphe
N'ont aucune gloire sur cette terre
Celle qui est déracinée et détachée
Cette terre que les ancêtres ont bénie

Si l'âme est ligotée
Qui pour briser ces menottes ?
Conscience qui baigne dans l'oubli
Et nos yeux sont juste bandés

À quand ce village pourra sourire
Voilà qu'une âme est déchirée
Et la volonté de panser cette plaie
Est dictée par un sentiment de désespoir

Nos fronts longtemps courbés
On voit que la surface, la terre
On ne peut la redresser
Soudain à quoi bon de regarder notre avenir ?

Quelqu'un devrait venir nous apprendre la révolte
Mais personne ne veut semer c'est qu'il récolte
Ainsi les pages sont devenues des serviettes
Sur lesquelles on y met de la haine.

S.O.S

Le cœur qui crie
L'âme qui gémit
Le froid mord les fibres nues
Les pauvres cherchent un abri
La famine couve
Les peuples démunis
Le froid blesse
Les lèvres fragiles
Les manifestants condamnent
Les dirigeants sont insensibles
Aux cris des triples en agonie se taisent
La vie devient trop chère
Les corps qui ont faim
Pris pour une miche de pain
Qu'elle arrive dans leur bouche
Intimidés par la pauvreté intense
Ô guerrier ! Stopper les vipères
Ô haineux ! Semez la bonté
Les gens meurent d'injustices
Les enfants sont orphelins à cause des bombes
Le froid aigu perce
Crève dans les trames

Des humains pauvres
Les sans-abri crient alerte !
L'environnement est violé par les poubelles balancées
L'espace pleure de méchanceté
Les poissons partagent les bouteilles jetées
À l'intérieur le temps est glacial
À l'extérieur les démunis prient pour détourner leur agonie
Le monde devient fou
Le monde devient déséquilibré
Le monde cherche son chemin désiré
Alerte !
La justice s'impose sur cette terre !

Crie noir

Oh Homme, quelle peine tu purges ?
Je voudrais t'aider mais que puis-je ?
OH Homme j'ai compassion de tes souffrances.
J'ai la musique comme passion en estimant m'asseoir en
France.
Je ne pense plus à ces quolibets, à ces cancans, à ces offenses.
Je ne pense qu'à mon avenir, je ne pense qu'à mon enfance.

Pour son élévation (passion) il me faut plus d'espace.
Tu traverses tant de situations, n'est-ce pas ?
J'ai tas de citations pour te raviver, il te faut plus d'espoir.
Oh Homme, prend conscience et l'humilité comme centre.
Oh homme je veux ton épanouissement et ton développement
mais il faut que tu te concentres.
Je veux qu'on sente ton bonheur, ta sagesse.
Je veux qu'on chante en ton honneur,
Et je veux qu'on le fasse sans cesse.
Sans sexe, sans ségrégation, sans distinction.
Je voudrais qu'on te le fasse sans hostilité.

L'HOMME est une lumière brillante,
Mais L'HOMME veut son extinction.

Et laisse le monde dans l'obscurité.
J'ai des visions claires mais d'instinct sombre.
Homme tu as interverti,
Les biens du monde qui étaient ton legs.
Homme tu as dilapidé tout autour de toi et tes vertus,
Tu démontes ton être.

Lueur d'espoir

Un paisible vent à l'orée
Commence à nouveau son défilé
Sur ce continent qui lui offre sa cordialité
Ce continent jadis miséreux, délaissé
Ce vent d'espoir dans sa valise
Est chargé de promesses
Celles d'une future terre promise
Où le bonheur toujours fait sa messe
Il annonce aux pauvres, aux affamés,
Qu'ils seront bientôt rassasiés.
Il annonce aux veuves, aux orphelins,
Qu'ils auront de radieux lendemains.
Il souffle au crépuscule de la mer,
Et fait déferler ses vagues émissaires,
Porteurs d'un message de progrès.
Il sèche ainsi les yeux moites,
Console les cœurs en émoi,
Et apaise les âmes dans le désarroi.

Africain

Je suis ce noir qui est dit nègre
Je suis ce noir qui est dit singe
Je suis ce noir qui subit des humiliations
Je suis ce noir qui est traité de chiffon
Je suis traité d'animal
Ma couleur de peau est tout sauf banale
Partout où je passe on me lance de mauvais regards
Ma vie est un enfer.
Partout où je passe on me lance des bananes
Merde ! Pourquoi ma vie est nouée de peines ?
Je suis un être humain
J'ai tout comme toi y compris deux mains
Pourquoi me martyrises-tu ?
Pourquoi m'humilies-tu ?
Arrêtez avec toutes vos mesquineries
Vous me pourrissez la vie
Même si ma couleur est noire
Je suis un homme qui a des droits et des devoirs
Noir, oui je suis noir
Noir de peau, oui mais pas noir dans mon cœur
Noir de peau, oui mais pas noir dans la tête
Je suis africain, je suis fier de l'être
Je suis noir et non un vulgaire nègre.

Mémoires d'un vieux soldat

Arrivent des périodes de nos vies
Où toute foi en nous meurt ;
Où plus aucune croyance n'a de valeur ;
Où les choses de valeur n'ont pas plus de valeur que
Celles dans la poubelle ;
Où le plus beau cadeau que l'on ait reçu devient
La chose la plus détestable sous nos yeux.
C'est cela, l'équilibre de la nature :
« Les choses vont de pair. »
Bien que sachant cela,
Il nous arrive quand même de perdre,
Cette foi qui jadis a transporté des montagnes.

Ce matin,
Je me suis réveillé avec le sentiment de
Reconstruire le monde avec beaucoup d'amour,
Avec le pardon, avec la patience, avec la persévérance, avec la
compassion
Et aussi, en y plantant des Roses tout autour des maisons.
On m'a volé mon amour pourtant !

Quand vous avez passé beaucoup de temps à souffrir

Par votre faute ou celle des autres,
Ne vous vengez jamais une fois cette souffrance terminée.
Mais, retenez les leçons qu'elle a déposées dans votre âme.
Car,
La souffrance est le médecin qui fait éclore la joie que recèle
notre âme.
Souriez également !
Car, le sourire est semblable à la lune et aux étoiles
Qui illuminent les ténèbres la nuit.

Ne grille

Je suis né grillé
Ils associent ma vie à un passé négrier
Pourtant mes ancêtres sont tous d'ici
Et puis, tant pis
Peu m'importe de savoir s'ils maîtrisaient pi
Que me rapportent leurs tombes qu'on pille ?
L'Afrique est née grosse
M'a enfanté ainsi que ses négros
Qui aujourd'hui s'engraissent
Aujourd'hui la trouve laide
Refuse de lui fournir de l'aide
Mais certains insistent pour que je les appelle frères
C'est certain moi aussi Je suis né gros, c'est ici qui me fait
maigrir
Incertain, Je m'ennuie d'ici à force d'y rester je finirais par
m'aigrir
Je partirais d'ici pour rattraper ceux qui jadis sont allés là-bas
Ceux qu'on fume à coup de feu et qui sont leurs abats
Bien qu'ils fassent un tabac
Ceux qui comme moi ont appris B A BA jusqu'à l'oubli de
« BABA »
Ses forts qu'ils ont pris au prix de la force

Leurs ont appris la force
Je parle de ceux qui reviennent encore plus forts
Et s'efforcent pour nous prendre de force
Ce qu'on a obtenu sans effort
Et ce qu'on offre même sans la force
Je n'en sais rien d'une écriture de mes ascendants
Je veux juste de la nourriture pour mes descendants
La nègre étude
Martin Luther a fait un rêve qui s'est réalisé dans mon
cauchemar
Obama et Trump main dans la main marchant sur l'Afrique
noire
Tous les matins je lutte pour mon rêve qui se révèle être leur
cauchemar
L'Afrique au-dessus de leur tête
Aussi lourde que le poids de sa dette
Qu'elle arrête de marcher sur la tête
J'ai entendu dire que son hégémonie est fossile
Même ses filles aujourd'hui préfèrent les faux cils
Un passé brillant, ses filles aiment être de plus en plus claires
Je vois qu'il pleut où il neige
Qu'il pleuve ou qu'il neige
Mon Afrique reste un désert
Son passé glorieux s'est asséché dans son désert
Je prétends la libérer
Pourtant je refuse de l'affranchir des chaînes de son passé
Franchir les limites que j'ai peur de dépasser
Je parle de sa bouche avec la langue des autres
Je respecte ses frontières établies pour les autres
Je prétends vouloir la bâtir en ignorant son passé glorieux
Je prétends vouloir la bâtir en ignorant ses fils prodigieux

À vingt ans

Il y a vingt ans, j'y étais,
Tant de temps a depuis passé,
Le temps est toujours ce qu'il était,
Mais pour autant je me retrouve dépassé.

Je me souviens de ces moments,
Pleins d'insouciance et de vie,
Où je prenais la vie joyeusement,
Et je régnais, maître de ma vie.

J'avais le plaisir de rire de joie,
J'avais que faire des rabat-joie,
Mon âme dictait chacune de mes actions,
Mon sourire reflétait mon âme sans fiction.

Il y a vingt ans j'avais vingt ans,
Et de temps en temps j'allais chantant,
Chantant pour cette période-fleuve,
Où je vivais ma vie avec plein de rêves.

Le monde est bien trop petit à cet Âge,
Nos cœurs dans le vent sont remplis de rage.

Le ciel était ma seule limite,
Il guidait mes pas solitaires tel un ermite.

Je rêvais de liberté,
Je rêvais de conquête,
Je vivais suivant mon étoile,
J'étais une étoile sur toile.

L'Âge où rien n'est impossible,
L'âge des amours qui sont possibles,
De l'insouciance et de la bêtise,
De l'espoir que nos cœurs attisent.

Je pensais devenir un musicien,
J'espérais faire le tour du monde,
Vingt ans c'est l'âge de la colère,
L'âge ou nos rêves décollèrent.

Vingt ans c'est l'âge des premières,
L'âge où de nos chaînes on se libère,
Ma première cuite, suivi d'une dégueulade,
Avec nos parents tout se finit en engueulade,

Vingt ans plus tard je fais le bilan,
En plein vol ils ont coupé mon élan.
Sur mes rêves d'antan, plus que fumée,
Mes rêves se sont envolés en fumée.

On rencontre une femme,
On rencontre un homme,
On tombe follement amoureux,
On savoure d'être bienheureux,

Mais par erreur on a un gosse,
Il faut mettre ses rêves dans une fosse,
Il faut devenir responsable,
Il faut être disponible,

On prend tout ce qui est boulot,
On se retrouve au bout du rouleau,
On regrette ses rêves inaccomplis,
On balaie d'un revers ceux qu'on a accomplis.

De temps en temps on y arrive,
De temps en temps on accomplit ce rêve,
On abandonne tout pour cette chimère,
Et au bout du rêve, vingt ans plus tard,
On se rend compte qu'on a marché seul sur cette terre,
Vingt ans c'est trop tard pour rattraper ce retard,

On a tout sacrifié pour vivre cette vie,
Tourné le dos à la seule, à cette fille,
Et un jour seul, sans amis, sans famille,
On se souvient de ses choix faits sans avis.

Aujourd'hui je fais face à mon passé,
Mon futur face à ce présent est dépassé,
Seul au bord de l'eau je regrette,
Mon destin entre mes mains je rejette,
Je vois ces gamins pleins de vie,
Et le cœur plein de joie je revis,
Je n'ai plus peut-être vingt ans,
Mais mon cœur reste celui de vingt ans !

Mon Afrique

Pensée pieuse à cette terre Ébène
Pays de Sembene aux valeurs hellènes
Harmonieuse depuis nos pères
Cette Afrique se perd au fil du temps
De l'unité de Nkrumah
Aujourd'hui c'est le désarroi de ses enfants
Malgré son sous-sol prestigieux
L'Afrique demeure un rapace pour certains
Notre Afrique pharaonique a été déboutée de sa solidarité
d'autant
Remplacer par les présidentiels
L'arbitraire a été le mot d'ordre
Nos terres saintes ont été vilipendées
Aujourd'hui sans valeurs
C'est la cruauté qui y règne
Des ivoires du Kenya
Au cacao de la Côte d'Ivoire
En voyant l'or noir de l'Angola
Nous avions de l'espoir
Hélas le colonisateur nous fait vivre le désespoir
De la paix de Makoko du moyen Congo
En passant par l'immolation de la Libye de Kadhafi

Enfants d'Afrique pleurent sans jamais se relever
De jour en jour la destruction de l'Afrique devient un quotidien
sans tabou
Oh Centrafrique fils de cette Afrique unie, qui vit le calvaire
des sangs mêlés
Pour quoi toi, subir tous ses préjudices
Du naturel à l'artificiel nos forêts ont été dévorées avec haine
Son sous-sol appauvri au seuil de l'inconsolable
Notre quotidien se résume à la terreur
Que Diable, le miracle d'où viendra-t-il
J'en pleure à chaque fois que j'y pense
Dans deux matins l'Afrique s'envolera
Cette odeur de liberté planera sur tous
Un jour l'appel hélé de l'Afrique sera entendu
De grâce la divinité reste notre seul issu
Désormais la nuit ne pourra plus être maintenue sur l'Afrique
Car nous avons rendez-vous avec la gloire, la paix et
l'abondance.

Ma bataille

Grande est la bataille,
Long est le chemin,
Étroit est le sentier,
Périlleuse est la route,

Cette route qui nous mènera,
Vers une liberté totale,
De ce continent grand et majestueux,
Cette Afrique qui est mienne.

Cette bataille que nous menons,
À ses armes à elle,
Nul n'est d'armes à feu,
Juste nos plumes.

Tu te meurs chère Afrique,
Car de toi tu ne sais rien,
Tu péris chère terre,
Car tu es ignorante.
Devant ce fléau je prends ma plume,
Sans bruit ni son j'écris,
J'écris pour cette justice à venir,
Je crie contre cette injustice présente,

Ma plume ne faillira pas !
Même si mon corps vacille,
Même si mon être entier lâche,
Mon âme pour toi vivra,

J'écris pour cette voix muette,
J'écris pour ces yeux aveugles,
J'écris pour ceux qui ne peuvent,
Je suis la voix de ceux qui n'entendent,

Et un jour, un jour lointain,
Pendant que mes os ne seront que poussière,
Alors que le souvenir de mon temps sera d'antan,
Mes écrits seront là pour vous,
Pour vous rappeler le chemin parcouru,
Mes écrits seront, là pour vous,
Pour vous rappeler vos échecs passés,
Le chemin parcouru.

Et comme un guide,
Ils seront l'écho de ma plume,
Qui n'a eu de cesse d'écrire,
Sans relâche ni repos,
Pour un futur meilleur…
Votre futur…

Ma couleur de peau

Dévalorisé à la souche de mon être de par ma couleur
Je demeure, cet être-là, qui ne vaut à leurs yeux qu'une futilité
de plus dans l'humanité
Nié dès la rationalisation de la conscience humaine par leur
égocentrisme surdimensionné
Mon regard triste se morfond dans cette couleur de peau léguée
par nos aïeux
Dans mes gênes coule la souffrance de notre histoire vécue qui
nous rend vulnérables
Que puis-je dire ? Mon seul péché reste mon héritage naturel
Le fait d'être né de l'autre côté de l'atlantique traduit tout
La société m'inflige le désarroi qu'elle devrait m'éviter
Le regret qui m'habite parfois calomnieux
Reflète le ronronnement de ma colère intérieure
L'ivresse de leur supériorité finit par tarir nos espoirs
Revendiquer mes origines me privera des privilèges éphémères
qu'ils nous font miroités
Le hic dans cette histoire, pour eux je reste celui qu'on a
colonisé et éduqué
Civilisation morbide à mes yeux ils revendiquent une chose
que nous avions avant leur venu
La déportation des miens sur d'autres cieux n'a fait
qu'assombrir notre destin.

Table des matières